NOUVEAUX CLASSIQUES LAROUSSE

Collection fondée en 1933 par
FÉLIX GUIRAND

continuée par
LÉON LEJEALLE (1949 à 1968) et JEAN-POL CAPUT (1969 à 1972)
Agrégés des Lettres

HERNANI

drame

Librairie Larousse (Canada) limitée, propriétaire pour le Canada des droits d'auteur et des marques de commerce Larousse. — Distributeur exclusif au Canada : les Editions Françaises Inc., licencié quant aux droits d'auteur et usager inscrit des marques pour le Canada.

Phot. Giraudon.

LA BATAILLE D'*HERNANI*

Fragment d'un tableau d'Albert Besnard (1849-1934).

Musée Victor-Hugo.

VICTOR HUGO

HERNANI

drame

avec une Notice biographique, une Notice historique et littéraire, des Notes explicatives, une Documentation thématique, des Jugements, un Questionnaire et des Sujets de devoirs.

par

PIERRE RICHARD
Agrégé des Lettres

NOUVELLE ÉDITION
REVUE PAR

GÉRARD SABLAYROLLES
Agrégé des Lettres

LIBRAIRIE LAROUSSE
17, rue du Montparnasse, et boulevard Raspail, 114
Succursale : 58, rue des Écoles (Sorbonne)

RÉSUMÉ CHRONOLOGIQUE DE LA VIE DE VICTOR HUGO 1802-1885

1802 — Naissance de Victor Hugo le 26 février à Besançon; fils de Joseph-Léopold-Sigisbert Hugo, capitaine sorti du rang, républicain, et de Sophie Trébuchet, fervente catholique. En 1798 était né Abel et en 1800 Eugène, frères de Victor Hugo.

1803 — Son père est muté en Corse, puis va en garnison à l'île d'Elbe.

1804 — Victor Hugo vit avec sa mère à Paris, rue de Clichy, où il habitera durant quatre années.

1807 — Son père, promu colonel, est nommé près de Naples; Sophie Hugo l'y rejoint avec ses enfants.

1808 — Tandis que le colonel Hugo part pour l'Espagne, l'enfant rentre à Paris avec sa mère. Ils s'installent aux **Feuillantines**, dont Hugo conservera un souvenir poétique.

1811-1812 — Sa mère ayant rejoint son mari à **Madrid**, le jeune Hugo passe quelque temps dans un collège espagnol. A la séparation de ses parents, il revient à Paris, aux Feuillantines.

1814 — Sa mère s'installe, avec ses enfants, rue des Vieilles-Thuilleries. Un jugement sanctionnant la séparation de ses parents enlève à Sophie Hugo la garde d'Eugène et de Victor; celui-ci sera mis à la pension Cordier jusqu'en 1818. (Il suivra les cours du lycée Louis-le-Grand de 1816 à 1818.)

1817-1819 — Il obtient un certain succès dans deux concours proposés par l'Académie française (mention), au concours général (accessit en physique) et reçoit deux récompenses de l'Académie de Toulouse. Entre-temps, il était retourné chez sa mère, rue des Petits-Augustins. Il fonde *le Conservateur littéraire*, bimensuel auquel collaborent Vigny et Emile Deschamps, et qui disparaîtra deux ans plus tard, à la suite de difficultés financières. Il écrit une première version de *Bug-Jargal*.

1820 — Il reçoit une gratification de Louis XVIII pour une *Ode sur la mort du duc de Berry* et un prix de l'académie des jeux Floraux. Il est présenté à Chateaubriand.

1821 — Mort de sa mère (27 juin).

***

1822 — La publication d'*Odes et Poésies diverses* lui fait obtenir une pension royale de 2 000 francs. Il se marie le 12 octobre, à Saint-Sulpice, avec **Adèle Foucher.**

1823 — *Han d'Islande*, roman, lui rapporte ses premiers droits d'auteur. — Son premier enfant, Léopold, meurt à deux mois et demi (octobre). — Il crée *la Muse française* (revue).

ISBN 2-03-034445-1

1824 — Le 28 août naît Léopoldine. Il publie de *Nouvelles Odes* et fréquente le Cénacle de Ch. Nodier, bibliothécaire de l'Arsenal.

1825 — Charles X lui confère la Légion d'honneur.

1826 — Naissance de Charles, fils du poète (9 novembre). — Publication des ***Odes et Ballades.*** Deuxième version de *Bug-Jargal.*

1827 — A la suite d'un article du *Globe* sur ses *Odes et Ballades*, Hugo lie connaissance avec Sainte-Beuve, s'installe rue Notre-Dame-des-Champs, où se réunit le nouveau Cénacle. Parution en librairie du drame de ***Cromwell,*** précédé d'une longue ***Préface.***

1828 — Son père meurt (29 janvier). Naissance de son fils François-Victor (21 octobre).

1829 — Le Cénacle accueille de nouveaux membres, dont Musset, Mérimée, Vigny. Publication des ***Orientales*** et du *Dernier Jour d'un condamné*, roman. La pièce *Marion de Lorme* est interdite par la censure. Répétitions orageuses d'*Hernani* à la Comédie-Française.

***

1830 — Bataille, puis triomphe d'***Hernani,*** dont la première représentation a eu lieu le 25 février. Hugo vit dans l'aisance et s'installe rue Jean-Goujon.

1831 — Publication de **Notre-Dame de Paris** et représentation de *Marion de Lorme* au théâtre de la Porte-Saint-Martin. En octobre, Victor Hugo s'installe au 6, place Royale (actuellement place des Vosges). En décembre paraissent ***les Feuilles d'automne.***

1832 — Le gouvernement ayant interdit *Le roi s'amuse*, Hugo renonce à sa pension de 2 000 francs.

1833 — Il donne, au théâtre de la Porte-Saint-Martin, *Lucrèce Borgia* puis *Marie Tudor.* Son ménage étant désuni par les intrigues de Sainte-Beuve, il se lie avec **Juliette Drouet.** Cette liaison durera cinquante ans.

1834 — *Littérature et philosophie mêlées. Claude Gueux.*

1835 — Après la publication des ***Chants du crépuscule,*** Hugo présente, sans succès, sa candidature à l'Académie française. — *Angelo,* drame.

1837 — Il publie ***les Voix intérieures.***

1838 — Hugo inaugure le théâtre de la Renaissance avec ***Ruy Blas,*** qui obtient un franc succès (50 représentations). Il prend l'habitude de noter des « choses vues ».

1839 — Intervention auprès de Louis-Philippe en faveur de Barbès, condamné à mort. — Au cours d'un séjour de vacances, à Villequier, Léopoldine Hugo s'éprend de Charles Vacquerie. — Victor Hugo fait, en compagnie de Juliette Drouet, un voyage en Alsace, en Rhénanie, en Suisse et dans le Midi.

1840 — Après un nouvel échec à l'Académie, Hugo publie ***les Rayons et les Ombres.*** — Il fait, d'août à octobre, un nouveau voyage sur les bords du Rhin et dans la vallée du Neckar. Il publie, en décembre, *le Retour de l'Empereur*, commémorant ainsi le retour des cendres de Napoléon Ier.

1841 — Soutenu notamment par Thiers et Guizot, Victor Hugo est **élu à l'Académie française**; il fréquente, dès lors, assidûment chez le duc d'Orléans.

1842-**1843** — Hugo mène une vie mondaine, publie *le Rhin*, et, devant l'échec des *Burgraves* (mars 1843), décide de renoncer au théâtre. — A peine mariés depuis sept mois, **Léopoldine et Charles Vacquerie se noient,** le 4 septembre 1843, à **Villequier.** Hugo apprend la nouvelle sur le chemin qui le ramenait d'Espagne, où il était en voyage, depuis juillet, avec Juliette Drouet. Son désespoir est immense.

1844-1848 — Hugo cherche un dérivatif dans le monde. Il fréquente le château de Neuilly, résidence de Louis-Philippe, et rêve peut-être d'être le conseiller du roi. Il est créé **pair de France** et voit son titre de vicomte authentifié par le roi (1845).

1848-1849 — Après une belle fidélité à Louis-Philippe, Hugo se rallie à la République; cependant, le 24 février 1848, il avait tenté de faire proclamer la régence de la duchesse d'Orléans; élu à l'Assemblée constituante, il fait de vains efforts en faveur d'un apaisement, lors des journées de Juin. Puis il soutient, dans *l'Evénement*, journal qu'il a contribué à fonder, la candidature de Louis-Napoléon Bonaparte, par réaction contre Cavaignac. Après son élection à l'Assemblée législative, ses relations avec Louis-Napoléon Bonaparte s'altèrent, en même temps qu'il se brouille avec la droite.

***

1851 — Son opposition au prince-président, puis sa vaine résistance contre le coup d'Etat du 2-Décembre l'obligent à **fuir à Bruxelles** (11 décembre), en même temps que ses collaborateurs de *l'Evénement* sont détenus à la Conciergerie.

1852 — Juliette Drouet, puis son fils Charles le rejoignent en Belgique; il publie (5 août) son pamphlet *Napoléon le Petit*. Il s'installe à Jersey, à Marine-Terrace.

1853 — ***Les Châtiments,*** imprimés à Bruxelles, pénètrent en France clandestinement. V. Hugo compose de *Petites Epopées* (premier titre sous lequel il pense publier la future *Légende des siècles*). Il écrit notamment la *Vision de Dante, Au lion d'Androclès*, travaille à *la Fin de Satan* et jette les bases de *Dieu* (œuvres qui paraîtront après sa mort).

1856 — Expulsé de Jersey, il s'établit à Guernesey, à Hauteville House. — ***Les Contemplations*** (avril) sont un succès.

1859 — Malgré un décret d'amnistie, Hugo refuse de rentrer en France. Première série de ***la Légende des siècles*** (26 septembre).

1861 — Au cours d'un voyage en Belgique, il visite le champ de bataille de Waterloo.

1862 — ***Les Misérables.*** — Voyage sur le Rhin et retour par Bruxelles.

1863-1864 — *Victor Hugo raconté par un témoin de sa vie*, œuvre de sa femme, paraît peu avant *William Shakespeare*.

1865-1869 — Publication des ***Chansons des rues et des bois*** (1865) et des ***Travailleurs de la mer*** (1866). Mort de Mme Hugo à Bruxelles, le 27 août 1867. Hugo publie *L'homme qui rit* (1869).

***

1870 — Inquiet des échecs français, Hugo revient dès le 5 septembre à Paris, où, en simple citoyen, il subit le siège. Sa popularité est immense : après dix-neuf ans d'exil, il apparaît comme le symbole de la fidélité à l'idéal démocratique.

1871 — Élu à l'Assemblée nationale, Hugo revient à Paris pour assister aux obsèques de son fils Charles (mars), alors que commencent les premiers troubles de la Commune. S'il n'approuve pas ce mouvement révolutionnaire, il condamne énergiquement la répression qui suit son échec.

1872-1873 — Son intervention en faveur des communards le rend suspect. Il démissionne de son mandat de député. Publication de ***l'Année terrible*** (avril 1872); devant la politique réactionnaire du gouvernement français, V. Hugo repart pour Guernesey, où il séjourne; il y compose le poème *Ecrit en exil*. — François-Victor meurt à la fin de 1873.

1874-1876 — Il publie ***Quatrevingt-treize,*** s'installe à Paris, rue de Clichy, et est élu sénateur. Aux funérailles d'Edgar Quinet, il prononce un discours qui provoque des réactions hostiles de la part de la presse catholique. — Publication des trois volumes d'*Actes et paroles*.

1877 — Publication de ***la Légende des siècles*** (2ᵉ série) en février, de ***l'Art d'être grand-père*** (mai), et de l'*Histoire d'un crime* (octobre).

1878-1880 — La santé de l'écrivain s'altère, et il n'écrira plus d'œuvre nouvelle jusqu'à sa mort, se contentant de publier des ouvrages créés antérieurement : *le Pape* (1878), *la Pitié suprême* (1879), *Religions et religion*, et *l'Ane* (1880). Il séjourne à Guernesey pendant l'été et une partie de l'automne.

1881 **— le 27 février,** à l'occasion de son anniversaire, 600 000 personnes défilent devant son domicile, avenue d'Eylau — qui, peu après, devient avenue Victor-Hugo —, et Jules Ferry apporte l'hommage du gouvernement. — Publication des *Quatre Vents de l'esprit*.

1882 — *Torquemada*, grand drame en vers.

1883 — Dernière série de ***la Légende des siècles.*** **Mort de Juliette Drouet** (11 mai).

1885 — Victor Hugo **meurt** le **22 mai** d'une crise cardiaque à Paris. Après des funérailles nationales, les cendres du poète sont déposées dans la crypte du Panthéon (1ᵉʳ juin).

ŒUVRES POSTHUMES : *la Fin de Satan; le Théâtre en liberté* (1886). *Choses vues* (1887-1900). *Toute la lyre* (1888-1899). *Alpes et Pyrénées* (1890). *Dieu* (1891). *France et Belgique* (1892). *Correspondance* (1896). *Les Années funestes; Amy Robsart; les Jumeaux* (1898). *Lettres à la fiancée; Post-scriptum de ma vie* (1901). *Dernière Gerbe* (1902). *Océan. Tas de pierres* (1942).

V. Hugo avait trente-quatre ans de moins que Chateaubriand, dix-neuf de moins que Stendhal et Nodier, douze de moins que Lamartine, cinq de moins que Vigny, quatre de moins que Michelet, trois de moins que Balzac. Il avait un an de plus que Dumas père et Mérimée, deux de plus que George Sand et Sainte-Beuve, huit de plus que Musset, neuf de plus que Gautier, seize de plus que Leconte de Lisle.

VICTOR HUGO ET SON TEMPS JUSQU'EN 1843

	vie et œuvre de Victor Hugo	le mouvement intellectuel et artistique	les événements politiques
1802	Naissance de Victor Hugo à Besançon (26 février).	Chateaubriand : *Génie du christianisme*, *René*. Goethe : *Iphigénie*.	Vote de la Constitution de l'an X. Bonaparte, consul à vie.
1819	Victor Hugo fonde *le Conservateur littéraire; Bug-Jargal* (1re version).	Publication des *Œuvres* d'A. Chénier. W. Scott : *Ivanhoe*. Géricault : *le Radeau de la Méduse*.	Ministère Decazes : mesures libérales. Lois de Serre favorables à la liberté de la presse.
1822	Mariage avec Adèle Foucher. Publication des *Odes* et *Poésies diverses*.	Delacroix : *la Barque de Dante*. Beethoven : *Messe en ré*. Champollion déchiffre les hiéroglyphes.	Congrès de Vérone, Chateaubriand étant ministre des Affaires étrangères.
1823	*Han d'Islande*. Création de *la Muse française*.	Stendhal : *Racine et Shakespeare*. Vigny : *Poèmes*. Lamartine : *Nouvelles Méditations; la Mort de Socrate*.	Prise du Trocadéro à Cadix (août) par les Français. Déclaration de Monroe. Fin de la charbonnerie.
1824	*Nouvelles Odes*. Naissance de Léopoldine.	Mort de Byron. Delacroix : *les Massacres de Chio*.	Fin de la résistance espagnole en Amérique du Sud. Mort de Louis XVIII, à qui succède Charles X.
1826	*Bug-Jargal* (2e version). *Odes et Ballades*.	Vigny : *Poèmes antiques et modernes*.	Sièges de Missolonghi et d'Athènes par les Turcs.
1827	*Cromwell* et sa *Préface*.	F. Cooper : *la Prairie*. Ingres : *Apothéose d'Homère*. Mort de Beethoven.	Ministère Villèle. Guerre de l'indépendance grecque.
1829	*Les Orientales*. *Le Dernier Jour d'un condamné*. *Marion de Lorme*.	Vigny : *Othello*. Balzac : *les Chouans*. Fondation de la *Revue des Deux Mondes*.	Démission de Martignac, remplacé par Polignac. Fin de la guerre russo-turque par le traité d'Andrinople.
1830	*Hernani* (25 février).	Musset : *Contes d'Espagne et d'Italie*. Th. Gautier : *Poésies*. Lamartine : *Harmonies*. Delacroix : *la Barricade*.	Prise d'Alger. Révolution de Juillet. Mouvements révolutionnaires en Europe.
1831	*Notre-Dame de Paris*. *Les Feuilles d'automne*.	Balzac : *la Peau de Chagrin*. Stendhal : *le Rouge et le Noir*. H. Heine : *Poésies*.	Troubles à Lyon. Soulèvements en Italie. Ecrasement de la révolution polonaise.

1832	*Le roi s'amuse* (interdit).	Musset : *Spectacle dans un fauteuil.* Vigny : *Stello.* Silvio Pellico : *Mes prisons.* Mort de Goethe, W. Scott, Cuvier.	Méhémet Ali vainqueur à Konieh. Manifestations pour l'unité allemande à Hambach. Encyclique *Mirari vos* contre le catholicisme libéral.
1833	*Lucrèce Borgia. Marie Tudor.* Liaison avec Juliette Drouet.	G. Sand : *Lélia.* Balzac : *Eugénie Grandet.* Goethe : *le Second Faust.* Rude : *la Marseillaise.*	Loi Guizot sur l'enseignement primaire. Création de la Société des droits de l'homme.
1834	*Littérature et philosophie mêlées. Claude Gueux.*	Sainte-Beuve : *Volupté.* Balzac : *le Père Goriot.* La Mennais condamné à Rome après *les Paroles d'un croyant.* Musset : *Lorenzaccio.* Mort de Coleridge.	Insurrections d'avril (Lyon et Paris). Quadruple-Alliance (Espagne, Portugal, Grande-Bretagne, France).
1835	*Les Chants du crépuscule. Angelo.*	Vigny : *Chatterton.* Musset : *les Nuits de mai et de décembre.* Conférences de Lacordaire. Gogol : *Tarass Boulba.*	Attentat de Fieschi (juillet). Lois répressives (septembre), concernant notamment la presse.
1837	*Les Voix intérieures.*	Musset : *Un caprice; la Nuit d'octobre.* Dickens : *Oliver Twist.* Rude : groupe du *Départ des volontaires* (arc de Triomphe).	Traité de la Tafna : cession à Abd el-Kader des provinces d'Oran et d'Alger. Conquête de Constantine par Lamoricière.
1838	*Ruy Blas.*	Lamartine : *la Chute d'un ange.* E. A. Poe : *Arthur Gordon Pym.*	Coalition contre Molé. Mort de Talleyrand.
1840	*Les Rayons et les Ombres.*	Sainte-Beuve : *Port-Royal.* G. Sand : *le Compagnon du tour de France.* P. J. Proudhon : *Qu'est-ce que la propriété?*	Retour des cendres de Napoléon Ier. Démission de Thiers. Ministère Guizot. Traité de Londres.
1842	*Le Rhin.*	Aloysius Bertrand : *Gaspard de la nuit.* E. Sue : *les Mystères de Paris.*	Protectorat français à Tahiti. Ministère Soult-Guizot. Convention des Détroits.
1843	*Les Burgraves.* Mort de Léopoldine.	Lamartine : *Graziella.* Nerval : *Voyage en Orient.* R. Wagner : *le Vaisseau fantôme.*	Querelle scolaire.

VICTOR HUGO ET SON TEMPS DE 1843 A SA MORT

	vie et œuvre de Victor Hugo	le mouvement intellectuel et artistique	les événements politiques
1848	Election à l'Assemblée constituante.	Dumas fils : *la Dame aux camélias* (roman). Mort de Chateaubriand. Publication des *Mémoires d'outre-tombe*.	Révolution de février. Mouvements libéraux et nationaux en Italie et en Allemagne.
1852	*Napoléon le Petit.* Début de l'exil. Installation à Marine-Terrace, à Jersey.	Th. Gautier : *Emaux et Camées*. Leconte de Lisle : *Poèmes antiques*. Dumas fils : *la Dame aux camélias* (drame).	Napoléon III, empereur héréditaire. Cavour, en Savoie-Piémont, est appelé au ministère.
1853	*Les Châtiments.*	Nerval : *Petits Châteaux de Bohême*. H. Taine : *La Fontaine et ses fables*.	Haussmann, préfet de la Seine. Début de la guerre russo-turque (guerre de Crimée).
1856	*Les Contemplations.* Installation à Hauteville House, à Guernesey; expériences de spiritisme.	Flaubert : *Madame Bovary*. Lamartine : *Cours familier de littérature*. Mort de Schumann.	Congrès et traité de Paris. Expédition de Busson et Speke aux grands lacs africains.
1859	*La Légende des siècles* (1re série). Refus de l'amnistie.	Baudelaire : *Salon de 1859*. Mistral : *Mireille*. Darwin : *De l'origine des espèces*. Wagner : *Tristan et Isolde*.	Amnistie accordée par Napoléon III aux condamnés politiques. Percement de l'isthme de Suez.
1862	*Les Misérables.*	Flaubert : *Salammbô*. Baudelaire : 21 *Petits Poèmes en prose*. Leconte de Lisle : *Poèmes barbares*.	Campagne du Mexique. Tentative de Garibaldi contre Rome. Bismarck, Premier ministre.
1864	*William Shakespeare.*	Vigny : *les Destinées* (posthumes). Fustel de Coulanges : *la Cité antique*. Meilhac et Halévy : *la Belle Hélène* (musique d'Offenbach).	Guerre austro-prussienne contre le Danemark. Fondation de l'internationale. Création du comité des Forges.
1865	*Chansons des rues et des bois.*	Cl. Bernard : *Introduction à la médecine expérimentale*. K. Marx : *le Capital*. Lois de Mendel.	Abolition de l'esclavage aux Etats-Unis. Union télégraphique internationale.
1866	*Les Travailleurs de la mer.*	Verlaine : *Poèmes saturniens*. Premier *Parnasse contemporain*. Dostoïevski : *Crime et Châtiment*.	L'Autriche est battue, à Sadowa, par la Prusse alliée à l'Italie.
1869	*L'homme qui rit.*	Verlaine : *Fêtes galantes*. Flaubert : *l'Éducation sentimentale*.	Inauguration du canal de Suez. Congrès socialiste de Bâle.

1871	Elu député de Paris après son retour d'exil.	Deuxième *Parnasse contemporain.*	Soulèvement parisien de la Commune. Traité de Francfort.
1872	*L'Année terrible.* Mort de François-Victor Hugo.	Jules Verne : *le Tour du monde en quatre-vingts jours.* Bizet : *l'Arlésienne.* Daumier : *la Monarchie.*	Début du *Kulturkampf.*
1874	*Quatrevingt-treize.*	Flaubert : *la Tentation de saint Antoine.* Exposition des impressionnistes.	Septennat militaire en Allemagne. Les Anglais aux îles Fidji.
1876	*Actes et Paroles.* Elu sénateur.	Mallarmé : *l'Après-midi d'un faune.* Renoir : *le Moulin de la Galette.*	Mac-Mahon président. Stanley au Congo.
1877	*La Légende des siècles* (2e série). *L'Art d'être grand-père. Histoire d'un crime.*	Flaubert : *Trois Contes.* E. Zola : *l'Assommoir.* R. Wagner : *Parsifal.*	Crise du 16 mai : Mac-Mahon renvoie le ministère Jules Simon.
1878	*Le Pape.*	Mort de Claude Bernard. Engels : *l'Anti-Dühring.*	Congrès de Berlin sur la question des Balkans.
1880	*Religions et religion. L'Ane.*	Recueil *des Soirées de Médan.* Mort de G. Flaubert. Maupassant : *Boule-de-Suif.* Dostoïevski : *les Frères Karamazov.*	Premier ministère Jules Ferry. Le 14 juillet devient fête nationale. Loi d'amnistie : retour des anciens communards.
1881	*Les Quatre Vents de l'esprit.* Le 27 février, immense défilé devant son domicile et hommage du gouvernement présenté par Jules Ferry.	Maupassant : *la Maison Tellier.* A. France : *le Crime de Sylvestre Bonnard.* Verlaine : *Sagesse.* Renoir : *le Déjeuner des canotiers.*	Loi sur la liberté de la presse. Elections législatives. Ministère Gambetta. Protectorat sur la Tunisie.
1882	*Torquemada* (drame).	Maupassant : *Mademoiselle Fifi.* Koch découvre le bacille de la tuberculose. Pasteur découvre la vaccination anticharbonneuse.	Loi organisant l'enseignement primaire : scolarisation obligatoire. Constitution de la Triple-Alliance (Allemagne-Autriche-Italie).
1883	*La Légende des siècles* (dernière série). Mort de Juliette Drouet.	Maupassant : *Une vie.* Renan : *Souvenirs d'enfance et de jeunesse.* Nietzsche : *Ainsi parla Zarathoustra.*	Ministère Jules Ferry. Guerre du Tonkin. Intervention française à Madagascar.
1885	22 mai : mort de Victor Hugo. 1er juin : funérailles nationales.	E. Zola : *Germinal.* Maupassant : *Bel-Ami.* A. France : *le Livre de mon ami.* Pasteur découvre la vaccination antirabique.	Evacuation de Lang Son. Chute de Jules Ferry. Elections générales : recul des républicains.

BIBLIOGRAPHIE SOMMAIRE

ÉTUDES GÉNÉRALES SUR LA VIE ET L'ŒUVRE DE VICTOR HUGO

Paul Berret, *Victor Hugo* (Paris, Garnier, 1927).

André Bellessort, *Victor Hugo, essai sur son œuvre* (Paris, Perrin, 1929).

Pierre Audiat, *Ainsi vécut Victor Hugo* (Paris, Hachette, 1947).

Henri Guillemin, *Victor Hugo par lui-même* (Paris, Ed. du Seuil, 1951).

André Maurois, *Olympio ou la Vie de Victor Hugo* (Paris, Hachette, 1954).

Fernand Gregh, *Victor Hugo, sa vie, son œuvre* (Paris, Flammarion, 1954).

Pierre Moreau, *le Romantisme* (Paris, Del Duca, 1957).

SUR « HERNANI »

Alexandre Dumas père, *Mémoires*, t. V (Éditions de France, 1928).

Théophile Gautier, *Histoire du romantisme* (Paris, Charpentier, 1874); *Souvenirs romantiques* (prés. par Boschot, Paris, Garnier, 1929).

Edmond Eggli, *Schiller et le romantisme français* (Paris, Gamber, 1927).

Georges Lote, *En préface à « Hernani »* (Paris, Droz, 1930).

HERNANI
1830

NOTICE

CE QUI SE PASSAIT EN 1830

■ ***EN POLITIQUE. France** : Conquête d'Alger (5 juillet). Révolution (27, 28, 29 juillet). Rétablissement de la Garde nationale sous le commandement de La Fayette (30 juillet). Abdication de Charles X (2 août). Louis-Philippe prête serment (9 août). Ministère de Broglie et Guizot (11 août). Ministère Laffitte (2 novembre). Colonisation et administration de l'Algérie (novembre).*

***Allemagne, Autriche et Prusse** : Divers mouvements consécutifs aux révolutions française et belge de Juillet et d'Août. **Amérique du Sud** : (Colombie) Retraite (9 mai) et mort (17 décembre) de Bolivar. **Angleterre** : Mort de George IV (26 juin). Guillaume IV lui succède. **Espagne** : Abolition de la loi Salique. L'Infante Isabelle est désignée pour héritière. Révolte des Carlistes. **Grèce** : Son indépendance reconnue par Wellington (4 janvier). **Italie** : Troubles en Savoie, après la Révolution parisienne. Mort de Pie VIII (30 novembre). **Russie** : Soulèvement de la Pologne (29 novembre).*

■ ***DANS LES LETTRES ET DANS LES ARTS. France** : Lamartine,* Harmonies poétiques et religieuses. *Musset,* Contes d'Espagne et d'Italie. *Sainte-Beuve,* Consolations. *Barbier,* Iambes. *Soulié,* Christine. *Mort de Benjamin Constant (8 décembre). Fondation de* l'Avenir *par La Mennais et Montalembert. Débat zoologique entre Cuvier* (Variété de composition dans les animaux) *et Geoffroy Saint-Hilaire* (Principes philosophiques de l'unité de composition). *En peinture, rivalité du classique Ingres et du « coloriste » Delacroix. En sculpture, Pradier, le « Canova français », et Rude. En musique, Berlioz.*

***Étranger. Angleterre** : Entre Liverpool et Manchester, premier chemin de fer (septembre) avec locomotive Stephenson. Mort du peintre Lawrence. Poésies de Tennyson. **Allemagne** : Activité musicale de Meyerbeer, débuts de Schumann, Mendelssohn.*

COMPOSITION ET PRÉPARATION D'« HERNANI »

Bien que revenu, après la *Préface de Cromwell* (1827), à la poésie lyrique par l'édition définitive des *Odes et Ballades* (août 1828) et la publication des *Orientales* (janvier 1829), Hugo, qui voulait battre les classiques sur leur terrain le plus glorieux, songeait derechef au théâtre. Il écrivait des projets de drames historiques et se consolait de l'échec d'*Amy Robsart* à l'Odéon (13 février 1828) par le succès, à la Comédie-Française, de son ami Alexandre Dumas, avec *Henri III et sa cour* (11 février 1829). « Et maintenant à mon tour! » proclamait-il à l'issue de la représentation. Il hésitait entre l'Espagne et la France. Le *Cinq-Mars* de Vigny, récemment (1826) accueilli avec faveur, lui fit préférer le sujet français. Mais *Marion de Lorme ou Un duel sous Richelieu* ayant été interdit par la censure, le poète, sans s'attarder à la rancune, se mit gaillardement à *Hernani*.

Il le rédigea du 29 août au 24 septembre 1829, le lut, le 30 septembre, à ses amis du « cénacle », qui l'approuvèrent presque sans réserve, et le 5 octobre aux artistes de la Comédie-Française, qui l'accueillirent d'enthousiasme. Aussitôt distribuée aux interprètes, la pièce entra en répétitions. Celles-ci ne furent pas sans orage : Mlle Mars, l'étoile de la troupe, Célimène de cinquante-deux ans, avait le goût classique et se prêtait mal à toutes les hardiesses de son rôle, que l'auteur menaça même de lui reprendre; Firmin, Hernani de souffle un peu court, et Michelot, don Carlos plus élégant que vigoureux, n'étaient pas sans redouter la bataille. Joanny, au contraire, ancien soldat, blessé sous les ordres du général Hugo, était fier d'incarner, pour la gloire du fils, don Ruy Gomez, dont il avait les cheveux blancs. L'*Othello* de Shakespeare, adapté par Vigny et donné avec succès sur la même scène, le 24 octobre[1], tout en préparant la voie à l'œuvre nouvelle, en retarda la présentation. Enfin, les censeurs épluchèrent jusqu'en janvier le manuscrit, exigeant des retouches importantes[2], pendant que salons et gazettes, à coups d'échos malveillants, de citations déformées, menaient leur cabale. Ce répit fut mis à profit par Hugo et ses amis pour organiser un combat que l'on pressentait décisif.

LA BATAILLE D'HERNANI

Poètes et rapins de vingt ans, mobilisés par l'auteur et sa femme, occupèrent, de leurs escouades, bien avant l'heure, le parterre et les secondes galeries. Cette claque gratuite, remplaçant la claque payée, considérée comme suspecte, fit échec à l'opposition classique des fauteuils et des loges, qu'elle bouscula de ses outrances vestimentaires et capillaires, de ses apostrophes à l'emporte-pièce[3], de ses farces gamines[4]. On remarquait surtout la crinière léonine et le pourpoint rouge de Théophile Gautier, qui s'est fait plus tard le spirituel mémorialiste de la soirée capitale (25 février 1830). Les

---

1. Mlle Mars y triompha dans le rôle de Desdémona; **2.** Ces *retouches* étaient d'ordre politique et religieux, plus que littéraire. En maintenant les fautes de goût, à leur avis, ils espéraient discréditer l'œuvre; **3.** Pendant que Balzac recevait en plein visage un trognon de chou, un « Jeune-France » répondait à une dame mûre qui se moquait d'un vers trop hardi : « Ne riez pas, Madame, vous montrez vos dents! »; **4.** Pluie de petits papiers sur les perruques et les jabots des classiques.

acteurs, pris entre deux feux, jouèrent avec plus ou moins de bonne volonté et d'à-propos. Toutefois, « la pièce, écrivait le soir même Joanny dans son *Journal*, a complètement réussi, malgré une opposition bien marquée, et malgré la manière originale dont cet ouvrage est traité ». Ce fut aussi un succès d'argent et, après le quatrième acte, la partie semblait si bien gagnée que Mame fit, dit-on, signer à l'auteur un contrat d'édition et lui versa séance tenante les 6 000 F promis : aubaine pour le poète, qui n'en avait plus chez lui que 50.

La seconde représentation (27 février) fut plus houleuse[1]. La bataille continua pendant le début de mars[2], mais la pièce finit par s'imposer, ainsi que l'attestent trente-six représentations du 25 février au 22 juin, et plusieurs parodies, dont la moins mauvaise, *Harnali ou la Contrainte par cor*, porta, dès le 23 mars, sur la scène du Vaudeville, les critiques des classiques. Celles-ci s'exprimèrent aussi dans les journaux. Le ton même des comptes rendus traduisait l'émotion générale devant l'événement. Ainsi que l'a très bien dit, dès le début, Sainte-Beuve, porte-parole de l'école nouvelle, « la question romantique est portée, par le seul fait d'*Hernani*, de cent lieues en avant, et toutes les théories des contradicteurs sont bouleversées[3] ».

La pièce fut reprise en 1838, mais non sans difficulté, à une époque où les pouvoirs officiels et l'influence académique tentent d'éliminer les œuvres romantiques de la Comédie-Française. Quelques autres reprises eurent lieu jusqu'en 1849; mais, sous le second Empire, l'œuvre de l'auteur des *Châtiments* est proscrite. La grande reprise de la pièce eut lieu le 21 novembre 1877, avec Mounet-Sully et Sarah Bernhardt : pour la première fois, Hugo put entendre le texte complet de sa pièce, qui jusque-là n'avait été jouée que dans le texte censuré de 1830. Le 25 février 1880, on en donnait la 341e représentation. Le nombre total des représentations de la Comédie-Française jusqu'à la dernière reprise en 1952 a été de 906.

ANALYSE DE LA PIÈCE

(Les scènes importantes sont indiquées entre parenthèses. Les titres donnés aux actes sont de Victor Hugo lui-même.)

■ *ACTE PREMIER.* **Le roi.**

Le roi d'Espagne don Carlos pénètre par un escalier dérobé dans la chambre de doña Sol et oblige la duègne à le cacher dans un placard, d'où il assiste à l'entrevue quotidienne de la jeune fille et d'Hernani. Celui-ci, un banni, ennemi du roi qui a fait monter son père sur l'échafaud, demande à la jeune fille de choisir entre

---

1. On en trouvera le récit dans la Documentation thématique, 3.2.; 2. Hugo lui-même en conte les péripéties dans *Choses vues;* 3. Sainte-Beuve refusa toutefois d'écrire dans *la Revue de Paris* l'article élogieux qu'on attendait de lui; c'est l'époque où l'amitié des deux écrivains est sérieusement affectée par l'intrigue amoureuse entre Sainte-Beuve et Madame Hugo.

lui-même et le vieux don Ruy Gomez de Silva, qui aime sa nièce et veut l'épouser. Sans hésiter, elle suivra le proscrit **(scène II).**

Don Carlos sort du placard où il étouffait et s'impatientait. Amoureux lui aussi de la jeune fille, il croise le fer avec Hernani, quand revient à l'improviste Ruy Gomez. Pour calmer l'indignation du vieillard devant cette double présence inexpliquée, le roi se fait reconnaître, prétend être venu demander au duc hospitalité et conseil en vue de sa candidature au trône d'Allemagne, vacant par la mort de l'empereur Maximilien **(scène III),** et libère, en le faisant passer pour quelqu'un de sa suite, son ennemi Hernani, qui, resté seul, fait vœu de vengeance **(scène IV).** Il a pu auparavant prendre rendez-vous avec doña Sol en vue de l'évasion du lendemain, sans s'apercevoir que don Carlos les a entendus.

■ *ACTE II.* **Le bandit.**

Minuit, à Saragosse, sous le balcon de doña Sol. Don Carlos devance Hernani, dans l'espoir d'enlever la jeune fille. De fait, elle a répondu à son appel, et quand elle s'aperçoit de la méprise, il ne lui serait plus possible d'échapper au ravisseur, si Hernani n'intervenait. Ses hommes ont réduit à l'impuissance les compagnons du roi, imprudemment écartés par leur maître. Le prince est seul face au justicier, mais il refuse de reprendre le duel, maintenant qu'il sait que l'adversaire est un bandit **(scène III).** Celui-ci, au lieu de l'assassiner, le couvre de son manteau et le libère. Insensible à la menace du roi, qui va le faire mettre au ban du royaume, Hernani s'attarde auprès de doña Sol **(scène IV).** Un montagnard interrompt le duo d'amour. Contre les sbires et les alcades, Hernani part défendre ses gens, après un baiser à la bien-aimée. Le premier, le dernier peut-être...

■ *ACTE III.* **Le vieillard.**

La grande salle du château de Silva, dans les monts d'Aragon. Ruy Gomez est heureux. Il va épouser doña Sol. On apprend que le roi vient de réduire la bande d'Hernani et que la tête du chef est mise à prix, quand un pèlerin demande l'hospitalité. Accueilli généreusement par le châtelain, Hernani — car c'est lui — rejette son déguisement en apercevant la toilette de la mariée et il rappelle aux gens du château la forte somme qui récompenserait leur dénonciation **(scène III).** Aucun ne bouge, et le maître se prépare à défendre son hôte. Pendant l'absence du vieillard, Hernani, resté seul avec doña Sol, s'irrite de la docilité de l'épousée, des riches présents de noce. Elle sort du coffret à bijoux un poignard, promesse du suicide libérateur. Aussitôt, il lui demande pardon d'avoir douté d'elle et insiste pour qu'elle consomme cette union paisible avec le duc, plutôt que de subir la fatalité du héros maudit **(scène IV).** Bien qu'il les trouve dans les bras l'un de l'autre, Ruy Gomez ne livrera pas son hôte, même au roi. Il le dissimule dans une cachette derrière son portrait, le dernier de ceux dont s'orne la salle et qui, rappelant la gloire des ancêtres, interdisent au descendant toute félonie. Mieux vaut même, à défaut du proscrit, laisser Don Carlos emmener doña Sol en otage **(scène VI).** Après leur départ, Hernani révèle au duc que le roi, lui aussi, aime sa nièce. Un pacte est conclu : Hernani après avoir tué le prince, livrera sa vie au vieillard. Celui-ci n'aura qu'à lui rappeler son serment en sonnant du cor qu'il lui donne.

■ *ACTE IV.* **Le tombeau.**

En attendant le vote de la ligue, don Carlos, au fond des souterrains d'Aix-la-Chapelle, se recueille longuement devant le tombeau de Charlemagne **(scène II),** puis s'y enferme pour écouter les conjurés, parmi lesquels sont Hernani et Ruy Gomez, prendre leurs dernières dispositions. Le sort désigne celui qui doit frapper : c'est Hernani. Peut-être le bandit céderait-il sa place au duc, si le vieillard ne refusait de lui rendre doña Sol. Trois coups de canon annoncent l'élévation du roi à l'empire. Aussitôt il sort du tombeau, fait arrêter les conspirateurs, mais, inspiré par la voix de l'ancêtre **(scène IV),** il pardonne à ses ennemis, et, renonçant à doña Sol, la marie à Hernani, qui vient de se révéler Jean d'Aragon, grand d'Espagne. Le bonheur fait oublier au jeune homme sa rancune et rend la jeune femme indifférente à la douleur — dissimulée et inquiétante — du vieillard **(scène V).**

■ *ACTE V.* **La noce.**

Sur une terrasse du palais d'Aragon, à Saragosse, s'achève la soirée de noces d'Hernani et de doña Sol. Après le départ de leurs invités, parmi lesquels s'était glissé un mystérieux domino noir, les époux se disent leur joie d'être enfin l'un à l'autre **(scène III).** Mais leur chant d'amour est interrompu par l'appel répété d'un cor. C'est Ruy Gomez qui, se démasquant, rappelle à Hernani son serment et lui présente le poison, dont il se réserve l'autre moitié **(scène V).** Comme il reste insensible aux prières des deux jeunes gens, doña Sol arrache la fiole, en boit une partie et Hernani la vide. Ruy Gomez se tue sur les cadavres de ses victimes.

SOURCES DE L'ŒUVRE

Le sujet est espagnol. L'auteur lui-même, pour désarmer d'avance ses ennemis, fit circuler, en avant-première, ce passage d'une vieille chronique, dont il prétendait s'être inspiré : « Don Carlos, tant qu'il ne fut qu'archiduc d'Autriche et roi d'Espagne, fut un prince amoureux de son plaisir, grand coureur d'aventures, sérénades et estocades sous les balcons de Saragosse, ravissant volontiers les belles aux galants, voluptueux et cruel au besoin. Mais du jour où il fut empereur, une révolution se fit en lui... » Authentique ou non, ce texte nous montre, outre les intentions morales et historiques du dramaturge, son souci, maintes fois affirmé par la suite, de faire croire à sa conscience d'érudit.

Sans doute a-t-il, bien avant *Hernani*, appris à connaître l'Espagne. Le fils du général Hugo se rappelait ses étapes de jadis, la Castille, si propre à marquer une imagination d'enfant, et ce bourg aux façades sculptées de blasons, traversé en 1811, qui lui a fourni le nom de son héros. Mais son séjour au collège des Nobles de Madrid ne lui permit pas d'apprendre assez d'espagnol pour lire les textes originaux. Croyons-le donc sur parole quand il mentionne dans ses notes quatre ouvrages consultés sur l'histoire locale, dont un sur la famille de Silva. Reconnaissons aussi des ressemblances, pour le thème général et certains détails, entre *Hernani* et *le Tisserand de Ségovie* ou *l'Art de gagner des amis*, d'Alarcon, ainsi que *la Dévotion à la Croix*, de Calderon. Mais ces drames et d'autres — de Lope de Vega principalement — lui ont été plutôt signalés par un vulgarisateur de l'époque, Sismondi, voyageur, historien et professeur suisse, dans son cours sur *la Littérature du midi de l'Europe* (1813), livre riche en histoires d'honneur, d'amour et de sang. Hugo lui-même trouvait dans le *Romancero general*, traduit par son frère Abel, en 1821, le nom de son héroïne, l'idée du grand seigneur révolté contre son roi et quelques détails du troisième acte.

Les emprunts se révèlent presque aussi nombreux, quoique moins avoués et moins méthodiques, aux littératures du Nord. La scène des portraits est démarquée d'une tragédie anglaise de Richard Lalor Sheil, *Evadne or the Statue* (1819). Le couple amoureux emprunte maints traits au Byron de *Lara*, de *Manfred*, du *Corsaire*, de *la Fiancée d'Abydos*. Shakespeare marque, pour le fond et pour la forme, son influence. L'Allemagne apporte son tribut avec Goethe (*Gœtz de Berlichingen*, *Egmont*) et surtout Schiller (*les Brigands*). Mais le virtuose a pu adapter sans trop de disparates ses modèles nordiques de prédestinés et de hors-la-loi au cadre espagnol.

C'est que, depuis Corneille, la psychologie espagnole, faite d'honneur, de vengeance familiale, d'amour fougueux et noble s'était popularisée en France. Au reste, si l'on a pu considérer *Hernani* comme *le Cid* du romantisme, Hugo se considérait volontiers lui-même comme un nouveau Corneille. Ne conseillait-il pas à ses adversaires, qui lui reprochaient sa trahison envers les grands maîtres classiques, de relire *Don Sanche* et *Nicomède* pour rétablir la filiation ? Aurait-il eu beaucoup de peine à montrer qu'Hernani et doña Sol sont, comme Rodrigue et Chimène, unis par la même passion jeune et généreuse, poursuivis par la même fatalité, séparés par un devoir semblable ? Et n'eût-il pu rapprocher de *la Clémence d'Auguste* la clémence de Charles Quint qui désempare la vengeance de Jean d'Aragon comme le pardon d'Auguste désarme Cinna ?

Molière lui-même, si justement célébré par l'auteur de la *Préface de « Cromwell »*, a fourni à l'auteur d'*Hernani*, outre le comique familier dont il égaie la duègne et les courtisans, la situation du vieillard amoureux de sa pupille. Mais, tandis que les colères et les plaintes d'Arnolphe, dans *l'École des femmes*, font rire le spectateur, les plaintes et les menaces de Ruy Gomez sont tragiques.

A côté de ces influences traditionnelles, il serait possible enfin d'évoquer plusieurs mélodrames contemporains, entre autres *l'Homme à trois visages*, de Pixérécourt, où l'on voit un gentilhomme déguisé en bandit exercer sa vengeance.

Mais qu'il s'agisse d'imitations étrangères ou nationales, anciennes ou récentes, le grand mérite du jeune novateur est d'avoir — — consciemment ou non — utilisé ces matériaux disparates selon l'esprit de nos grands maîtres dramatiques en organisant devant un vaste fond d'histoire un conflit puissant et pathétique.

TRADITIONS CLASSIQUES DANS « HERNANI »

Trois contre une, tel était le sous-titre primitif. Sous sa forme lapidaire, il résumait bien la rivalité d'amour qui est le principe habituel de la tragédie. L'un des prétendants a dit de même (v. 220) :

> Nous sommes trois chez vous! C'est trop de deux, Madame.

Et un comparse a précisé (v. 1819) ainsi le conflit :

> Trois galants, un bandit que l'échafaud réclame,
> Puis un duc, puis un roi, d'un même cœur de femme
> Font le siège à la fois. — L'assaut donné, qui l'a?
> C'est le bandit.

L'amour, voilà donc d'abord le sentiment qui anime tous les personnages. Simple distraction chez l'étudiant libertin que demeure le jeune prince (acte I, sc. I; acte II, sc. II), il devient la raison d'être et comme l'idée fixe du vieillard jaloux (acte III, sc. I, v. 765 à 774). Chez Hernani, ce sentiment, sans être moins fort, reste plus complexe. Doña Sol est bien la suprême consolation du proscrit (acte I, sc. II; acte II, sc. IV, v. 662), et il mourrait, plutôt que de se la voir ravir (v. 856). Mais la vengeance s'impose à lui avant la passion (v. 88 à 102). Plutôt que d'y renoncer, il renoncerait à sa maîtresse (v. 1630). Quand il veut rendre à celle-ci sa parole (v. 673), n'est-ce pas autant pour se libérer, dans sa défensive forcenée contre la police royale (v. 707), que pour épargner à sa compagne une fidélité fatale (v. 653)? Et pourtant ce bonheur menacé lui en devient si cher qu'il s'exposerait à la capture pour en jouir quelques instants (v. 682). Il ne peut néanmoins le goûter pleinement que lorsque le pardon de l'empereur l'a délivré de sa vengeance (v. 1765). Doña Sol aime plus simplement. Un seul homme compte pour elle. Sans doute s'est-elle laissé fiancer à son vieux tuteur (v. 88). Mais, depuis qu'elle connaît Hernani, elle n'aspire qu'à devenir sa femme (v. 511). Si le duc ne renonce pas à son projet de mariage, elle s'enfuira de chez lui (v. 125, 150), préférant une vie de danger mortel à une union non assortie. S'il brusque les noces, elle l'épousera, mais pour se tuer aussitôt après (v. 912). Elle n'hésite même pas, quand elle voit la situation sans issue, à lui avouer son amour pour Hernani (v. 1099), dans l'espoir que sa sincérité la fera juger moins coupable. Mais, quand l'empereur la libère et la marie, sans reconnaissance véritable envers le galant qui voulait s'amuser d'elle (v. 1386), sans pitié pour le vieil amoureux dépossédé (v. 1765), elle s'abandonne, jusqu'à en mourir, au bonheur total enfin permis.

Ce débat amoureux resterait, malgré sa richesse, assez banal, si un autre sentiment ne venait l'ennoblir. L'auteur l'a marqué lui-même par le choix du sous-titre définitif : *l'Honneur castillan*. Tous les personnages en sont imprégnés. C'est l'honneur qui pousse Hernani à venger son père (v. 94); à relâcher son rival royal quand il le tient à sa merci (v. 623); à rendre sa parole à doña Sol quand il est traqué (v. 1011); à livrer sa personne au vieillard qu'il a offensé (v. 1283); à renoncer à sa vengeance après le pardon de l'empereur (v. 1760); à mourir pour tenir sa parole (v. 2116). C'est l'honneur qui empêche don Carlos de livrer un rival (v. 380); de croiser le fer avec ce rival quand il connaît son identité (v. 590); d'assouvir, après son élévation à l'empire, ses rancunes de roi (v. 1780). C'est l'honneur qui oblige Ruy Gomez à demander raison aux deux visiteurs nocturnes de sa nièce (acte I, sc. III); à cacher le hors-la-loi (v. 885); à désobéir au roi en refusant de lui livrer un hôte (v. 1206); à comploter contre le candidat à l'empire, lorsqu'il apprend les visées de celui-ci sur doña Sol (v. 1287). Doña Sol elle-même montre de la noblesse. Comme Chimène, elle s'attache à son amant autant par estime et admiration (v. 71, 1028) que par amour. Comme Monime, elle accepte par obéissance d'épouser un maître âgé (v. 76, 88), avoue sans rougir sa passion (v. 1089), en accepte avec courage toutes les conséquences (v. 2120), pleine de mépris pour les ruses et les bassesses qu'un jeune don Carlos (v. 505, 1210) — aussi vil qu'un vieux Mithridate — met au service du désir.

Passion racinienne, honneur cornélien s'encadrent dans une large évocation historique. L'Espagne du XVIe siècle, l'Europe féodale revivent dans cette fresque, vraisemblable en général, sinon très exacte toujours dans les détails. Peu importe en effet que don Carlos ait été réellement élu à Francfort, non à Aix-la-Chapelle, après une éducation flamande, qui ne lui permettait pas le beau parler et l'élégance castillane dont le pare son poète[1], si ce poète a su lui rendre l'ambition réfléchie, méditative, la conscience des devoirs impériaux, qui faisaient du futur Charles Quint le digne successeur de Charlemagne. Le seul quatrième acte, où le mort conseille le vivant (sc. II et V), suffirait, avec la célèbre scène des

1. Les traits du personnage dramatique appartiennent plutôt à Don Carlos, fils de Philippe II, et qui avait eu pour gouverneur don Ruy Gomez de Silva. C'est ce don Carlos que Schiller a peint dans son drame, qu'Alfieri a fait figurer dans son *Philippe II* et que Brantôme présente comme un libertin.

portraits (acte III, sc. VI, v. 1132), à donner au drame d'histoire l'accent épique, dont le futur auteur de *la Légende des siècles* usera plus largement encore dans *les Burgraves*.

L'épopée, dans cette pièce, ne vient pas seulement de la terre, mais du ciel. L'action d'*Hernani* est sans doute une lutte d'amoureux, un conflit de générosités, l'évolution d'une grande âme devant un vaste fond géographique et historique. Elle est aussi et surtout la poussée des forces d'en haut sur quatre êtres prédestinés. « Tous, plus ou moins, a-t-on pu écrire, sentent peser sur eux une fatalité inexorable; un mystère les enveloppe. Ils ignorent où ils vont; ils s'ignorent eux-mêmes. La poésie romantique, imprégnée de toute l'inquiétude humaine, rend au destin le rôle que la tragédie grecque d'Eschyle lui avait d'abord attribué, et que la poésie classique assignait à la fatalité intérieure des passions. » Ainsi, de l'Oreste d'Eschyle au René de Chateaubriand en passant par la Phèdre de Racine, la chaîne tragique se développe, dont Hernani est un nouveau et solide maillon.

ROMANTISME D' « HERNANI »

Classique par la grandeur des sentiments, la simple vigueur du conflit humain et historique, la philosophie surhumaine, le drame s'affirme néanmoins spécifiquement romantique par ses principes et ses procédés. Postérieur de deux ans à la *Préface de « Cromwell »*, *Hernani* en applique la doctrine.

Sans se mêler autant au tragique que dans *Marion de Lorme* ou dans *Ruy Blas*, le comique y est ménagé par quelques comparses, la duègne (acte I, sc. I), les courtisans avides (acte II, sc. I; acte IV, sc. I), et don Carlos lui-même, quand il entre dans l'armoire et qu'il en sort.

Si la division classique en actes et en scènes subsiste, récits et confidents ont disparu, puisque tous les faits importants se déroulent sous nos yeux et que les personnages, peu complexes, n'éprouvent pas le besoin de s'analyser. Quant aux quatre monologues (acte I, sc. IV; acte IV, sc. II et V; acte V, sc. IV), ils sont moins des scènes expliquant les sentiments et déterminant l'action, que des effusions lyriques. Au reste, l'enchaînement de cette action n'est pas conforme aux habitudes de la tragédie. Ralentie par des scènes adventices (acte II, sc. I; acte IV, sc. I; acte V, sc. I), elle s'achèverait cependant dès le quatrième acte, dénouement politique du drame, si l'auteur ne repoussait jusqu'au cinquième acte, le dénouement sentimental et spectaculaire. Différence foncière avec la tragédie classique, dont le quatrième acte ne fait que préparer et annoncer, pour le suivant, la solution de la crise. Aussi bien, chaque acte forme-t-il ici un tout, au point d'avoir pu recevoir son titre respectif. L'essentiel sera donc pour l'auteur de les équilibrer en ménageant à l'œil une dose égale d'agréments et d'émotions.

La part du spectacle est en effet énorme et variée : escorte royale, cloches, flambeaux, épées (acte II), entrée militaire (acte III), conjuration (acte IV), intermède (acte V, sc. première). Les costumes sont soignés, multiples, parfois imprévus (acte III, sc. II). Même diversité dans le décor, aussi minutieusement décrit par l'auteur que l'habillement. Ce voyage à travers l'espace — qui est aussi un voyage à travers le temps[1] — offre l'avantage d'événements violents et renouvelés à la faveur desquels la « couleur locale » exerce ses prestiges. Ainsi le poète supprime franchement les unités de lieu et de temps.

Les personnages et les sentiments portent eux aussi la marque de l'époque 1830 et de son héraut : passions démesurées, mortelles, qui confèrent à leurs victimes, rejetées par la société, le droit à la sympathie et à la pitié; protagonistes riches en couleurs, en contrastes, en métamorphoses.

Enfin la forme applique la théorie de la liberté dans l'art : l'alexandrin est assoupli jusqu'à la dislocation, la langue exprime le réel avec la couleur la plus franche. Sur ce point, plus encore que sur tous les autres, le poète a voulu indiquer les possibilités et les ambitions de l'école nouvelle.

BEAUTÉS LITTÉRAIRES

L'attrait d'*Hernani* vient d'abord de sa jeunesse. La pièce est jeune, comme ses protagonistes et son auteur : doña Sol a dix-sept ans, don Carlos dix-neuf, Hernani vingt, Hugo vingt-sept et un génie fougueux, éclatant, irrésistible. C'est — répétons-le après Th. Gautier et P. de Saint-Victor — le miracle du *Cid* qui recommence, un *Cid* plus chatoyant et plus varié. Car tous les genres poétiques se trouvent réunis dans le cadre dramatique. L'accent tragique apparaît dans les indignations de Ruy Gomez (v. 217, 1036), dans les serments d'Hernani (v. 381, 1281), dans le débat final (acte V, sc. V), dont le pathétique vient moins de la situation que des discours, ondoyants et fiévreux. Si l'épopée, ainsi qu'on l'a vu, tient à l'ampleur du tableau d'histoire, à l'épisode du quatrième acte, au sentiment de la fatalité, elle est aussi dans l'éloquence spontanée par laquelle le héros célèbre la vie libre, la nature, le dévouement à une sainte cause. La satire marque les déclamations du bandit et le monologue du candidat à l'empire (acte IV, sc. II). Les thèmes lyriques, avant de se préciser dans *les Rayons et les Ombres* et de se muer en satire dans *les Châtiments*, s'esquissent ici : pitié à la vieillesse amoureuse (v. 726 à 788), respect de l'hôte (acte III, sc. II), honneur au prince clément (v. 1766 à 1810), honte à la société corruptrice dont l'arbitraire crée le paria (v. 103 à 124, 965 à 972). L'élégie — enfin et surtout — se manifeste splendidement chaque fois que l'amour chante et se chante (acte I, sc. II; acte II, sc. IV;

1. La vraisemblance et l'histoire exigent un minimum de six mois (janv.-juin 1519).

acte III, sc. IV; acte V, sc. III). Solos, duos permettent aux deux amants de célébrer leur passion en ajoutant à sa musique propre les variations que lui fournissent la certitude de son non-conformisme (v. 103 à 166, 925 à 1003), le piment du danger (v. 655 à 695, 1013 à 1035) ou les harmonies d'une nuit lunaire embaumée de fleurs (v. 1945 à 1975).

Mieux encore que la richesse du clavier, nous séduit la personne du virtuose. Car *Hernani*, c'est Hugo, entièrement. C'est le poète, dans ses audaces métriques, dans sa langue drue et pittoresque, que n'effraient ni la grandeur, ni la trivialité, ni la grâce, dans son goût de l'antithèse appliquée aux personnages à double face, aux jeux de lumière et d'ombre, à l'ordonnance même des scènes. C'est l'homme aussi, dans sa vie sentimentale, politique et littéraire. Le jeune mari d'Adèle Foucher, épousée en 1822, n'a eu qu'à versifier Les *Lettres à la fiancée* pour faire exprimer par Hernani le caractère exceptionnel, inquiet, jaloux, scrupuleux, de son propre amour. L'on verra aussi, à mesure, comment le sage royaliste des *Odes* a fait place au démocrate qu'encourage et justifie la révolution de 1830. Les rois — ou tel roi contemporain facilement reconnaissable — sont stigmatisés dans leur incapacité sans scrupule, dans leurs amours cyniques (v. 188 à 190, 489 à 496), dans leur entourage digne d'eux (v. 394 à 401), et opposés à tel empereur, aisé lui aussi à identifier par son mépris des têtes couronnées (v. 1469 à 1472), par son amour du peuple qui excuse sa dictature, par son oraison funèbre (v. 1493 à 1508). Enfin, si Napoléon apparaît à travers Charlemagne, n'est-il pas permis de voir dans le candidat interrogeant son ombre le futur « empereur de l'idée »? Ce jeune vainqueur, qui a l'âge de Bonaparte à Rivoli, souhaite lui aussi son empire (v. 1510 à 1528) et définit par avance la *Fonction du poète*, que, parmi les romantiques, il exercera le mieux.

UNE ESTHÉTIQUE NOUVELLE

Hernani fut une grande aventure en son temps et eut le grand mérite de débarrasser le théâtre des pièces anémiques d'un néoclassicisme agonisant. *Hernani*, première grande pièce romantique à triompher sur une grande scène, apportait une esthétique nouvelle, que le recul de temps nous permet de bien comprendre aujourd'hui.

On aspirait, depuis le XVIIIe siècle, à un spectacle plus concret, moins cérébral, qui s'adressât davantage à l'œil et même à l'oreille. Voltaire, timidement, avait essayé de rénover un peu le décor; récemment, Talma avait imposé à la tragédie classique des costumes exacts, et David avait donné le goût d'une antiquité plus vraie. Mais c'est le mélodrame surtout qui, par la variété de ses décors, la recherche d'un pittoresque outrancier, l'accompagnement musical, répondait le mieux à la sensibilité du jour. Le mélodrame était un genre populaire, et cela aussi est une indication; le public change ou plutôt s'agrandit; la tragédie ne séduit plus que la partie la plus cultivée de la nation; un genre se cherche, capable de plaire à tous : plus soigné que le mélodrame, plus jeune, plus vivant et plus concret que la tragédie.

La première grande nouveauté d'*Hernani*, c'est la figuration, le costume, le décor, les jeux de lumière, les acteurs bondissant, tirant l'épée, se cachant dans l'armoire, et non plus figés dans des attitudes nobles. Le mouvement, l'action remplacent les conversations. Notez le soin de Hugo à préciser les moindres détails du décor, la forme du costume, tous les gestes des acteurs; ces décors, ces costumes, il les veut fastueux, colorés, plus caractéristiques, si possible, de leur temps, qu'ils ne l'étaient en fait. La figuration est très nombreuse : de vraies foules passent sur la scène; tout cela grouille, bariolé, somptueux, éclairé par des torches, ou par la lumière du jour, ou par l'éclat de la lune. L'époque aime la couleur et les violences des oppositions : songeons à Delacroix. Il y a dans ces pièces de Hugo, pour nous aujourd'hui, quelque chose de cinématographique : nous sommes sensibles à cet art de l'image et de la couleur. Que va-t-on chercher d'autre dans les films de Renoir, comme *le Carrosse d'or*, ou *French-Cancan*, que l'admirable composition, l'harmonie des couleurs, la vision de la réalité à travers l'école impressionniste? Les servitudes théâtrales empêchaient Hugo de pousser jusqu'au bout ce génie visionnaire, qui n'a pu trouver sa parfaite éclosion que dans *la Légende des siècles;* le théâtre aujourd'hui s'est détourné avec raison de ce réalisme de l'image; mais nous avons le cinéma, qui a rendu au théâtre sa vraie dimension. Hugo, sans le savoir, était donc à la recherche d'une esthétique nouvelle.

L'ACTION DANS « HERNANI »

Ce théâtre, tout sensuel, a besoin d'une action romanesque et brutale; il doit remplacer les récits de la tragédie classique par la représentation matérielle des faits. L'intrigue est donc construite non pas selon la logique interne de la vraisemblance, mais selon la volonté d'un auteur qui cherche à produire un pathétique brutal, d'où l'abondance des coups de théâtre, l'alternance de la tendresse et de la mort, du grotesque et du sublime. Tout est réglé avec précision selon un mécanisme très savant, par l'auteur lui-même : on ne veut point donner à penser, on veut entraîner. Le baroque avait connu ce même besoin, tant il est vrai qu'aux époques troublées correspond toujours le goût du pathétique, même déclamatoire.

La construction de la scène change, elle aussi : la pièce classique affronte souvent deux hommes qui cherchent à se convaincre par des arguments (Corneille) ou deux passions qui s'adressent à des objets différents (Racine : Pyrrhus et Hermione). Le drame romantique tend vers la tirade, le jaillissement lyrique : souvent, un acteur se détache et chante son indignation, son amour, son désespoir devant les autres personnages muets (don Ruy ou Hernani); les dialogues sont ensuite brefs et rapides, jusqu'au prochain épanouissement musical. Qui ne reconnaît là l'esthétique de l'opéra? Le drame romantique a marqué d'une façon indélébile tout l'opéra du XIXe siècle, fournissant même parfois le sujet (*Rigoletto* et *Le roi s'amuse*); Wagner lui-même doit beaucoup à Hugo, et l'on a parfois rapproché le duo d'amour de doña Sol et d'Hernani, au cinquième acte, des chants sublimes de Lohengrin et d'Elsa. Le lyrisme, le jaillissement passionnel, l'épanouissement musical marquent toutes les formes d'art théâtral du XIXe siècle et correspondent donc à un besoin profond de la sensibilité.

LE HÉROS ROMANTIQUE

Le héros romantique lui-même est-il tellement ridicule, comme on le donne à entendre depuis cinquante ans? Une fois admis que les contemporains de Charles Quint ne pouvaient sentir comme un jeune homme de 1830, ou que les théories démocratiques de don Carlos sont mal placées dans sa bouche (mais cette convention, le théâtre moderne la connaît), reconnaissons plus de vérité à la peinture d'un comportement incohérent en partie par la volonté de l'auteur. Hernani est un émotif, un sensible, en proie à des impulsions violentes, qu'il ne peut dominer. Révolté par sa position sociale, il est condamné à agir, sans être en fait un homme d'action; à haïr, alors qu'il est fait pour aimer. Voilà le sens profond de sa « damnation ». Hernani est un faible, un nerveux, que les événements poussent à commander, à lutter. Comment son comportement ne serait-il pas incohérent? Il aime doña Sol, veut l'épargner, mais n'a pas le courage de renoncer à elle; il lui conseille d'épouser le vieux duc, et lui fait une atroce scène de jalousie quand il croit que ce mariage va se faire; il veut venger son père, et quand il pourrait assassiner le roi, il ne peut le faire, parce que sa générosité, sa sensibilité répugnent à une lâcheté; pourtant, il sait bien qu'en laissant échapper don Carlos, il condamne à mort tous ses amis; il est vrai qu'il porte la mort à tous ceux qui l'entourent parce qu'il porte en lui-même sa propre fatalité; son caractère. Soyons justes envers Hugo : le roman russe ou le roman contemporain nous ont habitués à la peinture des destinées, c'est-à-dire d'existences incohérentes que la conscience agissante ne dirige pas, qui sentent le réel comme une donnée irrationnelle et absurde. L'esthétique d'opéra de Hugo nous paraît démodée et ridicule, et voilà pourquoi nous refusons de voir dans ce théâtre la profondeur qu'il peut contenir.

« HERNANI » ET NOUS

L'examen objectif de la pièce, malgré la réelle défaveur où elle est tombée, et les sourires que son seul nom fait naître sur les lèvres des critiques désabusés ou des ennemis violents que Hugo a toujours suscités en France, révèle son importance dans l'histoire de l'esthétique théâtrale tout entière; elle constitue un remarquable effort d'adaptation du théâtre à des conditions sociales nouvelles, à une forme nouvelle de sensibilité, paradoxalement aussi une résurgence du baroque éternel, que notre époque connaît si bien et doit goûter : le cinéma permet aujourd'hui de mieux satisfaire ce besoin profond du cœur humain; le mélodrame si populaire au XIXe siècle s'est maintenu en province jusqu'à l'aurore du XXe siècle, et n'est mort définitivement qu'à l'apparition du cinéma qui, en fait, l'a souvent adapté. Même la psychologie de Hugo, bien qu'elle soit parfois un peu sommaire, parce qu'elle s'exprime dans des formes à notre goût trop développées, n'est pas aussi vide qu'on l'a dit; elle est même déjà moderne, par la place qu'elle donne aux forces inconscientes et aux élans incontrôlés. *Hernani* mérite de rester une œuvre classique.

« HERNANI » ET L'HISTOIRE

Quelles que soient les sources où Victor Hugo a puisé ses renseignements (voir page 17), il semble utile de rappeler les faits qui forment la toile de fond du drame.

Au début du XVIe siècle, la France occupe une situation politique et économique solide. Le roi parvient à faire reconnaître son autorité partout grâce à une administration nombreuse et zélée, tandis que le mariage de Charles VIII a mis la Bretagne dans le patrimoine royal. Avec 15 millions d'habitants et une économie autarcique en plein essor, elle est en meilleure posture que l'*Espagne*, que se partagent cinq langues — arabe, basque, castillan, catalan et portugais — et trois religions — catholique, juive, musulmane. Les efforts essentiels portent sur l'unification : grâce à une forte armée, la Castille et l'Aragon, réunis depuis 1469, terminent la reconquête, tandis que le Saint-Office forge l'unité religieuse. L'Empire est en réalité un assemblage de plusieurs centaines de villes et d'Etats, unis théoriquement par un empereur qui n'en tire rien, malgré un essor du commerce et des mines. La force de l'empereur vient non de son titre hérité de l'empire romain d'Occident, mais de ses possessions personnelles : Maximilien, par son mariage avec Marie de Bourgogne, a reçu une partie des Etats de Charles le Téméraire. L'*Italie*, riche et divisée, est le champ clos où se disputent la France et l'Aragon. Venise est une puissance redoutable, avec trois mille navires, tournée vers le commerce extérieur; Florence est sous l'autorité des Médicis, des plus grands banquiers européens (avec les Függer en Allemagne); Milan commande, par sa situation, le commerce avec l'Allemagne. Au centre, le pape s'efforce de regrouper et de pacifier les Etats, et intervient, depuis Jules II (1503-1513), dans la politique européenne. Le royaume de Naples et de Sicile, sur lequel, depuis Saint Louis, la France a des prétentions, appartient à un cousin du roi d'Aragon. C'est l'objet essentiel des expéditions françaises en Italie, qui se soldent chaque fois (sous Charles VIII et Louis XII) par un certain succès sur place; mais une Sainte Ligue, groupant le pape, l'Empereur, Venise, Milan et l'Aragon, fait diversion et attaque les frontières françaises, ce qui oblige le roi de France à une retraite rapide dans des conditions parfois difficiles.

En 1519, Maximilien meurt, la succession impériale s'ouvre; François Ier (1515-1547) et Charles de Habsbourg rivalisent de largesses auprès des Électeurs, qui en profitent le plus possible. Finalement, Charles est élu grâce au stratagème des banquiers Függer : ils remettent aux Électeurs non de l'or immédiatement comme le roi de France, mais des lettres de change payables si Charles est élu.

Lorsqu'en 1516 Charles de Habsbourg était monté sur le trône d'Espagne, c'était un jeune homme de seize ans, laid, timide, parlant essentiellement le français et le flamand : il se considérait surtout comme héritier de Charles le Téméraire, dont il désirait reconstituer l'Etat; il avait dû réprimer une révolte en Espagne lors de son accession au trône. Mais, après 1519, ses qualités apparaissent et son idéal se précise en se modifiant. Il prétend à un rôle de chef moral de la chrétienté, qu'il faut défendre contre les Turcs et les hérétiques, maintenir en paix en conseillant les rois et en coordonnant leurs actions. Mais beaucoup de difficultés s'élèvent. A l'extérieur, d'abord, les guerres d'Italie se poursuivent : François Ier, après sa victoire de Marignan (1515), est finalement battu et fait prisonnier à Pavie (1525); il doit renoncer à ses prétentions italiennes en échange de la liberté. En fait, ce conflit était devenu une lutte entre Habsbourg et Valois; François Ier se sentait menacé par les ambitions de Charles Quint qui l'encerclait, revendiquait la Bourgogne et songea même à s'ouvrir un couloir à travers la France. En 1527-1529, l'Italie se soulève contre l'Empereur, qui doit y envoyer Bourbon, lequel prend et saccage Rome. D'autre part, les Turcs, dont les incursions sur terre vont parfois jusqu'à Vienne, menacent la navigation en Méditerranée, s'installent en Afrique du Nord, tandis que François Ier s'allie à Soliman le Magnifique, leur sultan. Mais Charles Quint, malgré des efforts énormes et des dépenses considérables, n'arrive pas à réaliser son rêve d'unification en Allemagne, condition nécessaire d'une action extérieure efficace. Il paie même de sa personne, voyage sans cesse et apprend l'allemand et l'espagnol. Dès 1531, il doit laisser à son frère Ferdinand, roi des Romains, le gouvernement des pays allemands. L'Espagne, avec l'organisation progressive des conquêtes en Amérique, symbolisée par l'exploitation des mines d'argent de Potosi (1545) au Pérou, prend une importance de premier plan. En même temps, depuis 1516, un moine allemand, Martin Luther, énonce et publie ses théories; un conflit, inévitable, l'oppose au pape et se termine par une rupture. Cité à la diète de Worms, il refuse de se soumettre et est mis au ban de l'Empire (1521). La profonde émotion suscitée par ses idées, ajoutée aux raisons politiques, (hostilité au pape, souci d'indépendance) lui gagne des sympathies parmi les princes allemands. En 1531, ces princes forment contre l'Empereur, menacé par les Turcs, la ligue de Smalkalde soutenue par François Ier; Charles Quint triomphe des princes, mais échoue devant les trois évêchés lorrains défendus par le roi de France Henri II. Finalement, la diète d'Augsbourg, en 1555, autorise chaque prince à choisir la religion qui sera celle de ses sujets. Surmené et déçu, vieilli avant l'âge, malade, Charles Quint, en 1556, abdique et se retire dans un monastère de Yuste, en Estrémadure.

GÉNÉALOGIE DES HABSBOURG

Charles le Téméraire
duc de Bourgogne
1467-1477

Frédéric III
empereur
1439-1493

Marie de Bourgogne — épouse en 1477 — Maximilien de Habsbourg
empereur
1493-1519

Ferdinand d'Aragon
épouse en 1469
Isabelle de Castille

Philippe le Beau — épouse en 1496 — Jeanne la Folle

Charles Quint
empereur
1519-1556

Philippe II
roi d'Espagne

Ferdinand Ier
empereur
1556-1564

Maximilien II
empereur
1564-1576

Phot. Larousse.

DÉCOR DU DEUXIÈME ACTE À LA COMÉDIE-FRANÇAISE AU XIXe SIÈCLE

PRÉFACE

L'auteur de ce drame écrivait il y a peu de semaines à propos d'un poète mort avant l'âge[1] :

« ... Dans ce moment de mêlée et de tourmente littéraire, qui faut-il plaindre, ceux qui meurent ou ceux qui combattent? Sans doute il est triste de voir un poète de vingt ans qui s'en va; une lyre qui se brise, un avenir qui s'évanouit : mais n'est-ce pas quelque chose aussi que le repos? N'est-il pas permis à ceux autour desquels s'amassent incessamment calomnies, injures, haines, jalousies, sourdes menées, basses trahisons; hommes loyaux auxquels on fait une guerre déloyale; hommes dévoués qui ne voudraient enfin que doter le pays d'une liberté de plus, celle de l'art, celle de l'intelligence; hommes laborieux qui poursuivent paisiblement leur œuvre de conscience, en proie d'un côté à de viles machinations de censure et de police, en butte de l'autre, trop souvent, à l'ingratitude des esprits mêmes pour lesquels ils travaillent; ne leur est-il pas permis de retourner quelquefois la tête avec envie vers ceux qui sont tombés derrière eux et qui dorment dans le tombeau? *Invideo*, disait Luther dans le cimetière de Worms, *invideo, quia quiescunt*[2].

« Qu'importe toutefois? Jeunes gens, ayons bon courage! Si rude qu'on veuille nous faire le présent, l'avenir sera beau. Le romantisme tant de fois mal défini n'est, à tout prendre, et c'est là sa définition réelle, si l'on ne l'envisage que sous son côté militant, que le *libéralisme* en littérature. Cette vérité est déjà comprise à peu près de tous les bons esprits, et le nombre en est grand; et bientôt, car l'œuvre est déjà bien avancée, le libéralisme littéraire ne sera pas moins populaire que le libéralisme politique. La liberté dans l'art, la liberté dans la société, voilà le double but auquel doivent tendre d'un même pas tous les esprits conséquents et logiques : voilà la double bannière qui rallie, à bien peu d'intelligences près (lesquelles s'éclaireront) toute la jeunesse si forte et si patiente d'aujourd'hui; puis, avec la jeunesse et à sa tête l'élite de la génération qui nous a précédés, tous ces sages vieillards qui, après le premier moment de défiance et d'examen, ont reconnu que ce que font leurs fils est une conséquence de ce qu'ils ont fait eux-mêmes, et que la liberté littéraire est fille de la liberté politique. Ce principe est celui du siècle, et prévaudra. Les *Ultras*[3] de tout

---

1. Il s'agit de Charles Dovalle, jeune poète et journaliste, tué en duel à l'âge de vingt-deux ans, en novembre 1829. Cette page est un extrait de la préface publiée par Victor Hugo en tête des poésies de Dovalle, *le Sylphe* (janvier 1830); **2.** « Je les envie, parce qu'ils reposent. »; **3.** *Ultras :* nom donné aux royalistes intransigeants qui préconisaient un retour à l'état de choses antérieur à 1789.

genre, classiques ou monarchiques, auront beau se prêter secours pour refaire l'ancien régime de toutes pièces, société et littérature; chaque progrès du pays, chaque développement des intelligences, chaque pas de la liberté fera crouler tout ce qu'ils auront échafaudé. Et, en définitive, leurs efforts de réaction auront été utiles. En révolution, tout mouvement fait avancer. La vérité et la liberté ont cela d'excellent que tout ce qu'on fait pour elles et tout ce qu'on fait contre elles les sert également. Or, après tant de grandes choses que nos pères ont faites, et que nous avons vues, nous voilà sortis de la vieille forme sociale; comment ne sortirions-nous pas de la vieille forme poétique? A peuple nouveau, art nouveau. Tout en admirant la littérature de Louis XIV si bien adaptée à sa monarchie, elle saura bien avoir sa littérature propre et personnelle et nationale, cette France actuelle, cette France du XIXe siècle, à qui Mirabeau a fait sa liberté et Napoléon sa puissance. »

Qu'on pardonne à l'auteur de ce drame de se citer ici lui-même; ses paroles ont si peu le don de se graver dans les esprits, qu'il aurait souvent besoin de les rappeler. D'ailleurs, aujourd'hui il n'est peut-être point hors de propos de remettre sous les yeux des lecteurs les deux pages qu'on vient de transcrire. Ce n'est pas que ce drame puisse en rien mériter le beau nom d'*art nouveau*, de *poésie nouvelle*, loin de là; mais c'est que le principe de la liberté en littérature vient de faire un pas[1]; c'est qu'un progrès vient de s'accomplir non dans l'art, ce drame est trop peu de chose, mais dans le public; c'est que, sous ce rapport du moins, une partie des pronostics hasardés plus haut viennent de se réaliser.

Il y avait péril, en effet, à changer ainsi brusquement d'auditoire, à risquer sur le théâtre des tentatives confiées jusqu'ici seulement au papier qui *souffre tout*[2]; le public des livres est bien différent du public des spectacles, et l'on pouvait craindre de voir le second repousser ce que le premier avait accepté. Il n'en a rien été. Le principe de la liberté littéraire, déjà compris par le monde qui lit et qui médite, n'a pas été moins complètement adopté par cette immense foule, avide des pures émotions de l'art, qui inonde chaque soir les théâtres de Paris. Cette voix haute et puissante du peuple, qui ressemble à celle de Dieu, veut désormais que la poésie ait la même devise que la politique : TOLÉRANCE ET LIBERTÉ.

Maintenant vienne le poète! Il y a un public.

Et cette liberté, le public la veut telle qu'elle doit être, se conciliant avec l'ordre dans l'État, avec l'art dans la littérature. La liberté a une sagesse qui lui est propre, et sans laquelle elle n'est

---

1. Il s'agit de la récente victoire d'*Hernani*, d'où le romantisme sortait triomphant; 2. *Le papier qui souffre tout :* transposition du proverbe « On écrit tout ce qu'on veut, vérités ou sottises ». Allusion à *Cromwell*, publié sans avoir été représenté.

pas complète. Que les vieilles règles de d'Aubignac[1] meurent avec les vieilles coutumes de Cujas[2], cela est bien. Qu'à une littérature de cour succède une littérature de peuple, cela est mieux encore; mais surtout qu'une raison intérieure se rencontre au fond de toutes ces nouveautés. Que le principe de liberté fasse son affaire, mais qu'il la fasse bien. Dans les lettres, comme dans la société, point d'étiquette, point d'anarchie : des lois. Ni talons rouges, ni bonnets rouges.

Voilà ce que veut le public, et il veut bien. Quant à nous, par déférence pour ce public qui a accueilli avec tant d'indulgence un essai qui en méritait si peu, nous lui donnons ce drame aujourd'hui tel qu'il a été représenté. Le jour viendra peut-être de le publier tel qu'il a été conçu par l'auteur[3], en indiquant et en discutant les modifications que la scène lui a fait subir. Ces détails de critique peuvent ne pas être sans intérêt ni sans enseignements, mais ils sembleraient minutieux aujourd'hui; la liberté de l'art est admise, la question principale est résolue; à quoi bon s'arrêter aux questions secondaires? Nous y reviendrons du reste quelque jour, et nous parlerons aussi bien, en détail, en la ruinant par les raisonnements et par les faits, de cette censure dramatique qui est le seul obstacle à la liberté du théâtre, maintenant qu'il n'y en a plus dans le public. Nous essayerons, à nos risques et périls et par dévouement aux choses de l'art, de caractériser les mille abus de cette petite inquisition de l'esprit, qui a, comme l'autre saint-office[4], ses juges secrets, ses bourreaux masqués, ses tortures, ses mutilations et sa peine de mort. Nous déchirerons, s'il se peut, ces langes de police dont il est honteux que le théâtre soit encore emmailloté au XIXe siècle.

Aujourd'hui, il ne doit y avoir place que pour la reconnaissance et les remerciements. C'est au public que l'auteur de ce drame adresse les siens, et du fond du cœur. Cette œuvre, non de talent, mais de conscience et de liberté, a été généreusement protégée contre bien des inimitiés par le public, parce que le public est toujours aussi, lui, consciencieux et libre. Grâces lui soient donc rendues, ainsi qu'à cette jeunesse puissante qui a porté aide et faveur à l'ouvrage d'un jeune homme sincère et indépendant comme elle! C'est pour elle surtout qu'il travaille, parce que ce serait une gloire bien haute que l'applaudissement de cette élite de jeunes hommes, intelligente, logique, conséquente, vraiment libérale en littérature comme en politique, noble génération qui ne se refuse pas à ouvrir les deux yeux à la vérité et à recevoir la lumière des deux côtés.

---

1. *Abbé d'Aubignac :* théoricien dramatique, dont la *Pratique du théâtre* (1657) fit autorité à l'époque classique; **2.** *Cujas :* jurisconsulte célèbre (1522-1590) né à Toulouse; **3.** C'est seulement en 1836 que V. Hugo publiera le texte intégral et non censuré d'*Hernani ;* la présente édition donne ce texte complet; **4.** *L'autre saint-office :* l'Inquisition espagnole.

Quant à son œuvre en elle-même, il n'en parlera pas. Il accepte les critiques qui en ont été faites, les plus sévères comme les plus bienveillantes, parce qu'on peut profiter à toutes. Il n'ose se flatter que tout le monde ait compris du premier coup ce drame, dont le *Romancero general*[1] est la véritable clef. Il prierait volontiers les personnes que cet ouvrage a pu choquer de relire *le Cid*, *Don Sanche*, *Nicomède*[2], ou plutôt tout Corneille et tout Molière, ces grands et admirables poètes[3]. Cette lecture, si pourtant elles veulent bien faire d'abord la part de l'immense infériorité de l'auteur d'*Hernani*, les rendra peut-être moins sévères pour certaines choses qui ont pu les blesser dans la forme ou dans le fond de ce drame. En somme, le moment n'est peut-être pas encore venu de le juger. *Hernani* n'est jusqu'ici que la première pierre d'un édifice qui existe tout construit dans la tête de son auteur, mais dont l'ensemble peut seul donner quelque valeur à ce drame. Peut-être ne trouvera-t-on pas mauvaise un jour la fantaisie qu'il lui a pris de mettre, comme l'architecte de Bourges, une porte presque mauresque à sa cathédrale gothique.

En attendant, ce qu'il a fait est bien peu de chose, il le sait. Puissent le temps et la force ne pas lui manquer pour achever son œuvre! Elle ne vaudra qu'autant qu'elle sera terminée. Il n'est pas de ces poètes privilégiés[4] qui peuvent mourir ou s'interrompre avant d'avoir fini, sans péril pour leur mémoire; il n'est pas de ceux qui restent grands, même sans avoir complété leur ouvrage, heureux hommes dont on peut dire ce que Virgile disait de Carthage ébauchée :

Pendent opera interrupta minæque
Murorum ingentes![5]

(9 mars 1830).

---

1. Voir dans la Notice *Sources de l'œuvre* (p. 17); 2. Trois pièces de Corneille, respectivement représentées en 1637, 1650 et 1651, et dont le romanesque généreux, imprégné d'hispanisme dans les deux premières, annonce et justifie *Hernani;* 3. Hugo les a justement loués dans la *Préface de « Cromwell »;* 4. Parmi ces *privilégiés*, peut-être pense-t-il à Pascal, dont les *Pensées* portent en épigraphe la citation ci-après; 5. « Les travaux interrompus demeurent en suspens : murs menaçants, énormes! » (Virgile, l'*Enéide*, IV [v. 88-89]).

HERNANI

(Tres para una.)

Hernani.

Doña Sol de Silva

Don Carlos.

Don Ruy Gomez de Silva.

Phot. Larousse.

MANUSCRIT DE LA PREMIÈRE PAGE D'*HERNANI*

Le sous-titre n'est pas encore *l'Honneur castillan,* mais *Tres para una* (« Trois pour une »), formule qui soulignait le caractère mélodramatique de l'intrigue. Ce document est déposé à la bibliothèque de la Comédie-Française.

HARNALI,

OU

LA CONTRAINTE PAR COR,

PARODIE EN CINQ TABLEAUX

ET EN VERS,

PAR M. AUGUSTE DE LAUZANNE,

REPRÉSENTÉE, POUR LA PREMIÈRE FOIS, A PARIS,
SUR LE THEATRE DU VAUDEVILLE,
LE 23 MARS 1830.

PARIS.
BEZOU, LIBRAIRE,
ÉDITEUR DU THÉATRE DE M. SCRIBE.
BOULEVARD SAINT-MARTIN, N°. 29.
vis-à-vis le nouveau théâtre de l'Ambigu-Comique.
1830.

Phot. Roger-Viollet.

PAGE DE TITRE D'UNE DES PARODIES
LES PLUS CONNUES D'*HERNANI*

PERSONNAGES

HERNANI
DON CARLOS
DON RUY GOMEZ DE SILVA
DOÑA SOL DE SILVA
LE DUC DE BAVIÈRE
LE DUC DE GOTHA
LE DUC DE LUTZELBOURG
DON SANCHO
DON MATIAS
DON RICARDO
DON GARCI SUAREZ
DON FRANCISCO
DON JUAN DE HARO
DON GIL TELLEZ GIRON
PREMIER CONJURÉ.
UN MONTAGNARD.
IAQUEZ
DOÑA JOSEFA DUARTE
UNE DAME.

CONJURÉS DE LA LIGUE SACRO-SAINTE, ALLEMANDS ET ESPAGNOLS

MONTAGNARDS, SEIGNEURS, SOLDATS, PAGES, PEUPLE, ETC.

Espagne. — 1519[1].

---

1. De février à l'été. La mort de l'empereur (15 janvier), l'élection de son successeur (28 juin) permettent de dater à peu près ainsi les actes : I et II, février; III, avril; IV, juin; V, août. — Les interprètes de la première représentation étaient Mlle Mars : *doña Sol;* Firmin : *Hernani;* Joanny : *don Ruy* et Michelot : *don Carlos.*

HERNANI

ACTE PREMIER

LE ROI

SARAGOSSE

Une chambre à coucher. La nuit. Une lampe sur une table.

SCÈNE PREMIÈRE. — DOÑA JOSEFA DUARTE, *vieille, en noir, avec le corps*[1] *de sa jupe cousu de jais, à la mode d'Isabelle la Catholique*[2]; DON CARLOS.

DOÑA JOSEFA, *seule.*

(Elle ferme les rideaux cramoisis de la fenêtre et met en ordre quelques fauteuils. On frappe à une petite porte dérobée à droite. Elle écoute. On frappe un second coup.)

Serait-ce déjà lui?

(Un nouveau coup.)

C'est bien à l'escalier

Dérobé.

(Un quatrième coup.)

Vite, ouvrons.

(Elle ouvre la petite porte masquée. Entre don Carlos, le manteau sur le nez et le chapeau sur les yeux.)

Bonjour, beau cavalier.

(Elle l'introduit. Il écarte son manteau et laisse voir un riche costume de velours et de soie, à la mode castillane de 1519. Elle le regarde sous le nez et recule étonnée.)

Quoi, seigneur Hernani, ce n'est pas vous! — Main-forte! Au feu!

DON CARLOS, *lui saisissant le bras.*

Deux mots de plus, duègne, vous êtes morte!

(Il la regarde fixement. Elle se tait, effrayée.)

---

1. *Corps :* partie du vêtement entourant le buste; 2. *Isabelle Ire*, reine de Castille (1451-1504). Voir Généalogie des Habsbourg, page 28.

5 Suis-je chez doña Sol, fiancée au vieux duc
De Pastraña, son oncle, un bon seigneur, caduc,
Vénérable et jaloux? dites? La belle adore
Un cavalier sans barbe et sans moustache encore,
Et reçoit tous les soirs, malgré les envieux,
10 Le jeune amant sans barbe à la barbe du vieux.
Suis-je bien informé?

(Elle se tait. Il la secoue par le bras.)

Vous répondrez peut-être?

DOÑA JOSEFA

Vous m'avez défendu de dire deux mots, maître.

DON CARLOS

Aussi n'en veux-je qu'un. — Oui, — non. — Ta dame [est bien
Doña Sol de Silva? Parle.

DOÑA JOSEFA

Oui. — Pourquoi?

DON CARLOS

Pour rien.

15 Le duc, son vieux futur, est absent à cette heure?

DOÑA JOSEFA

Oui.

DON CARLOS

Sans doute elle attend son jeune?

DOÑA JOSEFA

Oui.

DON CARLOS

Que je meure!

DOÑA JOSEFA

Oui.

DON CARLOS

Duègne, c'est ici qu'aura lieu l'entretien?

DOÑA JOSEFA

Oui.

DON CARLOS

Cache-moi céans[1].

---

1. *Céans :* ici, à l'intérieur. Ce mot, qui déjà au XVIIe siècle n'appartenait plus qu'à la langue familière (on le trouve dans les comédies de Molière), est ici un archaïsme voulu.

DOÑA JOSEFA

Vous!

DON CARLOS

Moi.

DOÑA JOSEFA

Pourquoi?

DON CARLOS

Pour rien.

DOÑA JOSEFA

Moi vous cacher!

DON CARLOS

Ici.

DOÑA JOSEFA

Jamais!

DON CARLOS, *tirant de sa ceinture un poignard et une bourse.*

Daignez, madame,

20 Choisir de cette bourse ou bien de cette lame.

DOÑA JOSEFA, *prenant la bourse.*

Vous êtes donc le diable?

DON CARLOS

Oui, duègne.

DOÑA JOSEFA, *ouvrant une armoire étroite dans le mur.*

Entrez ici.

DON CARLOS, *examinant l'armoire.*

Cette boîte?

DOÑA JOSEFA, *la refermant.*

Va-t'en, si tu n'en veux pas.

DON CARLOS, *rouvrant l'armoire.*

Si!

(L'examinant encore.)

Serait-ce l'écurie où tu mets d'aventure
Le manche du balai qui te sert de monture?

(Il s'y blottit avec peine.)

25 Ouf!

DOÑA JOSEFA, *joignant les mains et scandalisée.*

Un homme ici!

DON CARLOS, *dans l'armoire restée ouverte.*

C'est une femme, est-ce pas[1],
Qu'attendait ta maîtresse?

DOÑA JOSEFA

O ciel! j'entends le pas
De doña Sol. — Seigneur, fermez vite la porte.
(Elle pousse la porte de l'armoire qui se referme.)

DON CARLOS, *de l'intérieur de l'armoire.*

Si vous dites un mot, duègne, vous êtes morte.

DOÑA JOSEFA, *seule.*

Qu'est cet homme? Jésus mon Dieu! si j'appelais?
30 Qui? Hors madame et moi, tout dort dans le palais.
Bah! l'autre va venir. La chose le regarde.
Il a sa bonne épée, et que le ciel nous garde
De l'enfer!
(Pesant la bourse.)
Après tout, ce n'est pas un voleur.
(Entre doña Sol, en blanc. Doña Josefa cache la bourse.)

SCÈNE II. — DOÑA JOSEFA, DON CARLOS *caché*, DOÑA SOL, *puis* HERNANI.

DOÑA SOL

Josefa!

DOÑA JOSEFA

Madame?

1. Suppression familière de la négation, déjà admise à l'époque classique. On en trouvera maints autres exemples dans *Hernani.*

QUESTIONS

■ SUR LA SCÈNE PREMIÈRE. — Étudiez le décor, les costumes. Victor Hugo attribue-t-il de l'importance à la mise en scène? Pourquoi indique-t-il à l'acteur tous les gestes qu'il doit faire? Comparez avec l'absence d'indication scénique chez les classiques.

— Étudiez cette scène au point de vue de l'exposition.

— Le comique; le mélange de farce vaudevillesque (don Carlos enfermé dans l'armoire) et le burlesque verbal.

— Relevez les coupes inhabituelles (v. 2, 6, 7, 8, 14, 16, 25, 34, 50); les rimes inattendues (v. 5-6, 23-24); les enjambements. Celui du vers 2 a engagé la querelle, selon Th. Gautier; que pensez-vous de sa hardiesse? (comparez avec La Fontaine, *l'Homme et la Couleuvre*).

DOÑA SOL

Ah! je crains quelque malheur.

35 Hernani devrait être ici.

(Bruit de pas à la petite porte.)

Voici qu'il monte.

Ouvre avant qu'il ne frappe, et fais vite, et sois prompte.

(Josefa ouvre la petite porte. Entre Hernani. Grand manteau, grand chapeau. Dessous, en costume de montagnard d'Aragon, gris, avec une cuirasse de cuir, une épée, un poignard et un cor à la ceinture.)

DOÑA SOL, *courant à lui.*

Hernani!

HERNANI

Doña Sol! Ah! c'est vous que je vois

Enfin! Et cette voix qui parle est votre voix!

Pourquoi le sort mit-il mes jours si loin des vôtres?

40 J'ai tant besoin de vous pour oublier les autres!

DOÑA SOL, *touchant ses vêtements.*

Jésus! votre manteau ruisselle! Il pleut donc bien?

HERNANI

Je ne sais.

DOÑA SOL

Vous devez avoir froid!

HERNANI

Ce n'est rien.

DOÑA SOL

Ôtez donc ce manteau.

HERNANI

Doña Sol, mon amie,

Dites-moi, quand la nuit vous êtes endormie,

45 Calme, innocente et pure, et qu'un sommeil joyeux

Entrouvre votre bouche et du doigt clôt vos yeux,

Un ange vous dit-il combien vous êtes douce

Au malheureux que tout abandonne et repousse?

QUESTIONS

● Vers 34-36. Le vêtement d'Hernani. D'autres bandits d'honneur étaient apparus avec ce costume sur le théâtre : comparez avec *les Brigands* (1781) de Schiller.

DOÑA SOL

Vous avez bien tardé, seigneur! Mais dites-moi
50 Si vous avez froid.

HERNANI

Moi! je brûle près de toi!
Ah! quand l'amour jaloux bouillonne dans nos têtes,
Quand notre cœur se gonfle et s'emplit de tempêtes,
Qu'importe ce que peut un nuage des airs
Nous jeter en passant de tempête et d'éclairs!

DOÑA SOL, *lui défaisant son manteau.*

55 Allons! donnez la cape, — et l'épée avec elle.

HERNANI, *la main sur son épée.*

Non. C'est mon autre amie, innocente et fidèle.
— Doña Sol, le vieux duc, votre futur époux,
Votre oncle, est donc absent?

DOÑA SOL

Oui, cette heure est à nous.

HERNANI

Cette heure! et voilà tout. Pour nous plus rien qu'une heure!
60 Après, qu'importe? Il faut qu'on oublie ou qu'on meure.
Ange! une heure avec vous! une heure, en vérité,
A qui voudrait la vie, et puis l'éternité!

DOÑA SOL

Hernani!

HERNANI, *amèrement.*

Que je suis heureux que le duc sorte!
Comme un larron qui tremble et qui force une porte,
65 Vite, j'entre, et vous vois, et dérobe au vieillard
Une heure de vos chants et de votre regard;
Et je suis bien heureux, et sans doute on m'envie
De lui voler une heure, et lui me prend ma vie!

DOÑA SOL

Calmez-vous.

(Remettant le manteau à la duègne.)

Josefa, fais sécher le manteau.

(Josefa sort.)

(Elle s'assied et fait signe à Hernani de venir près d'elle.)

70 Venez là.

HERNANI, *sans l'entendre.*

Donc le duc est absent du château?

DOÑA SOL, *souriant.*

Comme vous êtes grand!

HERNANI

Il est absent.

DOÑA SOL

Chère âme,

Ne pensons plus au duc.

HERNANI

Ah! pensons-y, madame!

Ce vieillard! il vous aime, il va vous épouser!

Quoi donc! vous prit-il pas[1] l'autre jour un baiser?

75 N'y plus penser!

DOÑA SOL, *riant.*

C'est là ce qui vous désespère!

Un baiser d'oncle! au front! presque un baiser de père!

HERNANI

Non, un baiser d'amant, de mari, de jaloux.

Ah! vous serez à lui, madame! Y pensez-vous?

O l'insensé vieillard, qui, la tête inclinée,

80 Pour achever sa route et finir sa journée,

A besoin d'une femme, et va, spectre glacé,

Prendre une jeune fille! ô vieillard insensé!

Pendant que d'une main il s'attache à la vôtre,

Ne voit-il pas la mort qui l'épouse de l'autre?

1. Voir la note du vers 25.

QUESTIONS

● VERS 37-87. Marquez la différence de ton entre ce passage, « sublime », et la scène précédente, « grotesque ». — Notez l'opposition entre le lyrisme passionné d'Hernani et le prosaïsme de doña Sol. Quelles préoccupations et quels sentiments révèle-t-elle par là? Quelle était l'intention de Victor Hugo en accumulant ainsi les indications matérielles dans les répliques de l'héroïne? — Quel effet produit sur le spectateur cette première apparition d'Hernani? La jalousie d'Hernani, et la violence brutale de ses propos contre don Ruy. — En comparant le v. 56 aux v. 32 et 198, montrez l'art des préparations chez le dramaturge. — Étudiez le rythme et la versification des strophes lyriques (v. 43-48, 50-54, 59-62, 63-68, 77-86).

85 Il vient dans nos amours se jeter sans frayeur!
Vieillard! va-t'en donner mesure au fossoyeur!
— Qui fait ce mariage? On vous force, j'espère!

DOÑA SOL

Le roi, dit-on, le veut.

HERNANI

Le roi! le roi! Mon père
Est mort sur l'échafaud, condamné par le sien[1];
90 Or, quoiqu'on ait vieilli depuis ce fait ancien,
Pour l'ombre du feu roi, pour son fils, pour sa veuve,
Pour tous les siens, ma haine est encor toute neuve!
Lui, mort, ne compte plus. Et, tout enfant, je fis
Le serment de venger mon père sur son fils.
95 Je te cherchais partout, Carlos, roi des Castilles!
Car la haine est vivace entre nos deux familles.
Les pères ont lutté sans pitié, sans remords,
Trente ans! Or, c'est en vain que les pères sont morts!
Leur haine vit. Pour eux la paix n'est point venue,
100 Car les fils sont debout, et le duel[2] continue.
Ah! c'est donc toi qui veux cet exécrable hymen!
Tant mieux. Je te cherchais, tu viens dans mon chemin!

DOÑA SOL

Vous m'effrayez.

HERNANI

Chargé d'un mandat d'anathème[3],
Il faut que j'en arrive à m'effrayer moi-même[4]!
105 Écoutez. L'homme auquel, jeune, on vous destina,
Ruy de Silva, votre oncle, est duc de Pastraña,
Riche-homme d'Aragon, comte et grand[5] de Castille.
A défaut de jeunesse, il peut, ô jeune fille,
Vous apporter tant d'or, de bijoux, de joyaux,
110 Que votre front reluise entre des fronts royaux,
Et pour le rang, l'orgueil, la gloire et la richesse,
Mainte reine peut-être enviera sa duchesse.

---

1. Peu vraisemblable : Philippe le Beau, archiduc d'Autriche, est venu en Espagne en 1506; il mourut quelques mois plus tard, son titre à peine reconnu, sans avoir eu le temps de régler définitivement ses difficultés avec son beau-père Ferdinand d'Aragon et sa femme Jeanne la Folle; 2. *Duel* est une monosyllabe; 3. *Mandat d'anathème :* mission qui met en marge de la société; l'*anathème* comporte une malédiction; 4. Pour trouver le courage de venger mon père; 5. *Riche-homme :* titre nobiliaire castillan *(rico hombre)* signifiant « riche d'aïeux ». Les plus puissants seigneurs, au XVIe siècle, prirent le titre de *grands* d'Espagne et étaient qualifiés de « cousins du roi ».

Voilà donc ce qu'il est. Moi, je suis pauvre, et n'eus,
Tout enfant, que les bois où je fuyais pieds nus.
115 Peut-être aurais-je aussi quelque blason illustre,
Qu'une rouille de sang à cette heure délustre[1];
Peut-être ai-je des droits, dans l'ombre ensevelis,
Qu'un drap d'échafaud noir cache encor sous ses plis,
Et qui, si mon attente un jour n'est pas trompée,
120 Pourront de ce fourreau sortir avec l'épée.
En attendant, je n'ai reçu du ciel jaloux
Que l'air, le jour et l'eau, la dot qu'il donne à tous.
Or du duc ou de moi, souffrez qu'on vous délivre.
Il faut choisir des deux, l'épouser, ou me suivre.

DOÑA SOL

125 Je vous suivrai.

HERNANI

Parmi mes rudes compagnons?
Proscrits[2] dont le bourreau sait d'avance les noms,
Gens dont jamais le fer ni le cœur ne s'émousse[3],
Ayant tous quelque sang à venger qui les pousse?
Vous viendrez commander ma bande[4], comme on dit?
130 Car, vous ne savez pas, moi, je suis un bandit!
Quand tout me poursuivait dans toutes les Espagnes,
Seule, dans ses forêts, dans ses hautes montagnes,
Dans ses rocs où l'on n'est que de l'aigle aperçu,
La vieille Catalogne en mère m'a reçu.
135 Parmi ses montagnards, libres, pauvres, et graves,
Je grandis, et demain trois mille de ses braves,
Si ma voix dans leurs monts fait résonner ce cor,
Viendront... Vous frissonnez. Réfléchissez encor.
Me suivre dans les bois, dans les monts, sur les grèves,
140 Chez des hommes pareils aux démons de vos rêves,
Soupçonner tout, les yeux, les voix, les pas, le bruit,
Dormir sur l'herbe, boire au torrent, et la nuit
Entendre, en allaitant quelque enfant qui s'éveille,
Les balles des mousquets siffler à votre oreille.

motifs de la mort...
suicidal tendencies

---

1. *Délustrer :* se dit d'une étoffe que l'on débarrasse du lustre (brillant) que lui a donné l'apprêt; 2. *Proscrit :* à Rome, condamné à mort que le premier venu pouvait exécuter; ensuite, celui qui ne peut revenir dans son pays par suite de condamnation politique ou criminelle. Le personnage et le mot venaient d'être mis à la mode par Mérimée, dans *Mateo Falcone* (mai 1829); *bandit* a le même sens (v. 130); 3. La construction (absence du premier *ni*, verbe au singulier) est encore un souvenir de la langue classique; 4. *Bande :* troupe armée, sans nuance péjorative.

145 Etre errante avec moi, proscrite, et, s'il le faut,
Me suivre où je suivrai mon père, — à l'échafaud.

DOÑA SOL

Je vous suivrai.

HERNANI

Le duc est riche, grand, prospère.
Le duc n'a pas de tache au vieux nom de son père.
Le duc peut tout. Le duc vous offre avec sa main
150 Trésors, titres, bonheur...

DOÑA SOL

Nous partirons demain.
Hernani, n'allez pas sur mon audace étrange
Me blâmer. Etes-vous mon démon ou mon ange?
Je ne sais, mais je suis votre esclave. Écoutez.
Allez où vous voudrez, j'irai. Restez, partez,
155 Je suis à vous. Pourquoi fais-je ainsi? Je l'ignore.
J'ai besoin de vous voir et de vous voir encore
Et de vous voir toujours. Quand le bruit de vos pas
S'efface, alors je crois que mon cœur ne bat pas,
Vous me manquez, je suis absente de moi-même;
160 Mais, dès qu'enfin ce pas que j'attends et que j'aime
Vient frapper mon oreille, alors il me souvient
Que je vis, et je sens mon âme qui revient!

HERNANI, *la serrant dans ses bras.*

Ange!

QUESTIONS

● VERS 88-150. L'exposition. Qu'apprenons-nous du passé d'Hernani, de sa mission, de son rival don Ruy, de lui-même et de ses bandes montagnardes, de la vie dangereuse qu'il offre à doña Sol? — Le caractère d'Hernani. Relevez les contradictions de cet impulsif : les traits de jalousie et de passion; pourquoi, malgré son amour pour doña Sol, lui déconseille-t-il de le suivre, tout en souhaitant qu'elle le fasse? A-t-il la force de caractère nécessaire pour s'imposer et lui imposer un choix définitif? Montrez que cette incohérence, conséquence de son déchirement intérieur, est voulue par l'auteur. — Relevez dans tout ce passage les images les plus saisissantes; étudiez le mouvement rythmique qui emporte les tirades, en particulier l'orchestration des vers 138-146. Soulignez le lyrisme des vers 125-146.

● VERS 150-162. Analysez l'amour de doña Sol pour Hernani; montrez-en l'aspect fatal et irrationnel. Étudiez la parfaite convenance du rythme et du sentiment. Soulignez le contraste de cette tirade avec le passage précédent, marqué par la personnalité d'Hernani.

DOÑA SOL

A minuit. Demain. Amenez votre escorte.
Sous ma fenêtre. Allez, je serai brave et forte.
165 Vous frapperez trois coups.

HERNANI

Savez-vous qui je suis
Maintenant?

DOÑA SOL

Monseigneur, qu'importe? Je vous suis.

HERNANI

Non, puisque vous voulez me suivre, faible femme,
Il faut que vous sachiez quel nom, quel rang, quelle âme,
Quel destin est caché dans le pâtre Hernani.
170 Vous vouliez d'un brigand, voulez-vous d'un banni?

DON CARLOS, *ouvrant avec fracas la porte de l'armoire.*

Quand aurez-vous fini de conter votre histoire?
Croyez-vous donc qu'on soit à l'aise en cette armoire?
(Hernani recule, étonné. Doña Sol pousse un cri et se réfugie dans ses bras, en fixant sur don Carlos des yeux effarés.)

HERNANI, *la main sur la garde de son épée.*

Quel est cet homme?

DOÑA SOL

O ciel! Au secours!

HERNANI

Taisez-vous,
Doña Sol! vous donnez l'éveil aux yeux jaloux.
175 Quand je suis près de vous, veuillez, quoi qu'il advienne,
Ne réclamer jamais d'autre aide que la mienne.
(A don Carlos.)
Que faisiez-vous là?

DON CARLOS

Moi? Mais, à ce qu'il paraît,
Je ne chevauchais pas à travers la forêt.

QUESTIONS

● VERS 163-171. Du point de vue de l'action, montrez que la brusque apparition de don Carlos se produit au moment précis où Hernani allait révéler son vrai nom. Pourquoi le fallait-il?

HERNANI

Qui raille après l'affront s'expose à faire rire
180 Aussi son héritier.

DON CARLOS

Chacun son tour! — Messire[1],
Parlons franc. Vous aimez madame et ses yeux noirs,
Vous y venez mirer les vôtres tous les soirs,
C'est fort bien. J'aime aussi madame, et veux connaître
Qui j'ai vu tant de fois entrer par la fenêtre,
185 Tandis que je restais à la porte.

HERNANI

En honneur,
Je vous ferai sortir par où j'entre, seigneur.

DON CARLOS

Nous verrons. J'offre donc mon amour à madame.
Partageons. Voulez-vous? J'ai vu dans sa belle âme
Tant d'amour, de bonté, de tendres sentiments,
190 Que madame, à coup sûr, en a pour deux amants.
Or, ce soir, voulant mettre à fin[2] mon entreprise,
Pris, je pense, pour vous, j'entre ici par surprise,
Je me cache, j'écoute, à ne vous celer rien;
Mais j'entendais très mal et j'étouffais très bien.
195 Et puis, je chiffonnais ma veste à la française[3].
Ma foi, je sors!

HERNANI

Ma dague aussi n'est pas à l'aise,
Et veut sortir.

DON CARLOS, *le saluant.*

Monsieur, c'est comme il vous plaira.

HERNANI, *tirant son épée.*

En garde!
(Don Carlos tire son épée.)

DOÑA SOL, *se jetant entre eux.*

Hernani! Ciel!

DON CARLOS

Calmez-vous, señora.

---

1. *Messire :* titre que l'on donnait aux nobles du Moyen Age. Ce mot n'est d'ailleurs que le cas sujet de *monseigneur ;* il constitue ici un archaïsme un peu artificiel pour créer la couleur historique; 2. *Mettre à fin :* faire aboutir; 3. *Veste à la française :* ancien habit de cour à collet droit.

HERNANI, *à don Carlos.*

Dites-moi votre nom.

DON CARLOS

Hé! dites-moi le vôtre!

HERNANI

200 Je le garde, secret et fatal, pour un autre
Qui doit un jour sentir sous mon genou vainqueur,
Mon nom à son oreille, et ma dague à son cœur!

DON CARLOS

Alors, quel est le nom de l'autre?

HERNANI

Que t'importe?
En garde! défends-toi!
(Ils croisent leurs épées. Doña Sol tombe tremblante sur un fauteuil. On entend des coups à la porte.)

DOÑA SOL, *se levant avec effroi.*

Ciel! on frappe à la porte!
(Les champions s'arrêtent. Entre Josefa par la petite porte et tout effarée.)

HERNANI, *à Josefa.*

205 Qui frappe ainsi?

DOÑA JOSEFA, *à doña Sol.*

Madame! un coup inattendu!
C'est le duc qui revient!

DOÑA SOL, *joignant les mains.*

Le duc! tout est perdu!
Malheureuse!

DOÑA JOSEFA, *jetant les yeux autour d'elle.*

Jésus! l'inconnu! des épées!
On se battait. Voilà de belles équipées!
(Les deux combattants remettent leurs épées dans le fourreau. Don Carlos s'enveloppe dans son manteau et rabat son chapeau sur ses yeux. On frappe.)

HERNANI

Que faire?
(On frappe.)

UNE VOIX, *au dehors.*

Doña Sol, ouvrez-moi!

(Doña Josefa fait un pas vers la porte. Hernani l'arrête.)

HERNANI

N'ouvrez pas.

DOÑA JOSEFA, *tirant son chapelet.*

210 Saint-Jacques monseigneur[1]! tirez-nous de ce pas!

(On frappe de nouveau.)

HERNANI, *montrant l'armoire à don Carlos.*

Cachons-nous.

DON CARLOS

Dans l'armoire?

HERNANI, *montrant la porte.*

Entrez-y. Je m'en charge.

Nous y tiendrons tous deux.

DON CARLOS

Grand merci, c'est trop large.

HERNANI, *montrant la petite porte.*

Fuyons par là.

DON CARLOS

Bonsoir. Pour moi, je reste ici.

HERNANI

Ah! tête et sang, monsieur, vous me paierez ceci!

(A doña Sol.)

215 Si je barricadais l'entrée?

DON CARLOS, *à Josefa.*

Ouvrez la porte.

1. *Saint-Jacques monseigneur.* Au Moyen Age, ce titre s'ajoutait fréquemment, lorsqu'on invoquait un saint. Saint Jacques le Majeur, martyrisé en 44 à Jérusalem, avait prêché en Espagne, dit-on, où ses restes avaient été transportés. On vénérait ses reliques à Compostelle (Galice), célèbre lieu de pèlerinage.

QUESTIONS

● VERS 171-216. Le mouvement scénique : opposez cette fin, à la fois burlesque et tragique, au lyrisme qui a précédé. Que pensez vous de ce mélange? Montrez que don Ruy, une fois encore, survient au moment précis où il le fallait pour empêcher le duel. Le théâtre romantique se soucie-t-il de vraisemblance dans l'action? Que cherche-t-il à produire dans l'âme du spectateur? — Le personnage de don Carlos : montrez son cynisme désinvolte; quel genre d'amour éprouve-t-il pour doña Sol?

HERNANI

Que dit-il?

DON CARLOS, *à Josefa interdite.*

Ouvrez donc, vous dis-je!

(On frappe toujours. Doña Josefa va ouvrir en tremblant.)

DOÑA SOL

Je suis morte!

SCÈNE III. — DON CARLOS, DOÑA SOL, HERNANI; DON RUY GOMEZ DE SILVA, *barbe et cheveux blancs; en noir.*

(Valets avec des flambeaux.)

DON RUY GOMEZ

Des hommes chez ma nièce à cette heure de nuit!
Venez tous! Cela vaut la lumière et le bruit.
(A doña Sol.)
Par saint Jean d'Avila[1], je crois que, sur mon âme,
220 Nous sommes trois chez vous[2]! C'est trop de deux, [madame.
(Aux deux jeunes gens.)
Mes jeunes cavaliers, que faites-vous céans[3]? —
Quand nous avions le Cid et Bernard[4], ces géants

1. *Saint Jean d'Avila* : prédicateur espagnol (1500-1569), conseiller d'Ignace de Loyola. En fait, il ne fut béatifié qu'en 1894; 2. Le sous-titre primitif était *Trois pour une*; 3. *Céans* : voir la note du v. 18; 4. *Bernard* : héros castillan du XIe siècle, vainqueur de Roland.

QUESTIONS

■ SUR L'ENSEMBLE DE LA SCÈNE II. — Étudiez cette scène du point de vue de l'exposition, du mélange des genres, de la psychologie.

— Savons-nous comment Hernani et don Carlos ont pu connaître doña Sol? comment doña Sol a pu s'éprendre d'Hernani?

— Pourquoi Victor Hugo a-t-il choisi comme héros un hors-la-loi, un révolté? Comparez avec Didier (de *Marion Delorme*) et Ruy Blas, avec *Antony*, de Dumas. Rapprochez ce héros du révolté de la littérature allemande au temps du *Sturm und Drang*, tel qu'il apparaît dans *les Brigands*, *Guillaume Tell*, *Götz von Berlichingen*).

— Notez le nombre de fois où l'auteur intervient lui-même dans l'action pour en régler le mécanisme; comparez cette conception théâtrale à celle de Racine, telle qu'elle apparaît dans une de ses pièces à votre choix (voir également la Notice, p. 24).

● VERS 217-220. Que pensez-vous de cette réaction? Ne risque-t-elle pas de passer pour ridicule?

De l'Espagne et du monde allaient par les Castilles[1]
Honorant les vieillards et protégeant les filles.
225 C'étaient des hommes forts et qui trouvaient moins lourds
Leur fer et leur acier que vous votre velours.
Ces hommes-là portaient respect aux barbes grises,
Faisaient agenouiller leur amour aux églises,
Ne trahissaient personne, et donnaient pour raison
230 Qu'ils avaient à garder l'honneur de leur maison.
S'ils voulaient une femme, ils la prenaient sans tache,
En plein jour, devant tous, et l'épée, ou la hache,
Ou la lance à la main. — Et quant à ces félons
Qui le soir, et les yeux tournés vers leurs talons,
235 Ne fiant qu'à la nuit leurs manœuvres infâmes,
Par derrière aux maris volent l'honneur des femmes,
J'affirme que le Cid, cet aïeul de nous tous,
Les eût tenus pour vils et fait mettre à genoux,
Et qu'il eût, dégradant leur noblesse usurpée,
240 Souffleté leur blason du plat de son épée!
Voilà ce que feraient, j'y songe avec ennui[2],
Les hommes d'autrefois aux hommes d'aujourd'hui.
— Qu'êtes-vous venus faire ici? C'est donc à dire
Que je ne suis qu'un vieux dont les jeunes vont rire?
245 On va rire de moi, soldat de Zamora[3]?
Et quand je passerai, tête blanche, on rira?
Ce n'est pas vous, du moins, qui rirez!

HERNANI

Duc...

DON RUY GOMEZ

Silence!

Quoi! vous avez l'épée, et la bague[4], et la lance,
La chasse, les festins, les meutes, les faucons,
250 Les chansons à chanter le soir sous les balcons,
Les plumes au chapeau, les casaques de soie,
Les bals, les carrousels, la jeunesse, la joie.
Enfants, l'ennui vous gagne! A tout prix, au hasard,
Il vous faut un hochet. Vous prenez un vieillard.
255 Ah! vous l'avez brisé, le hochet! mais Dieu fasse

---

1. *Les Castilles :* la Vieille (capitale : Burgos) et la Nouvelle (capitale : Madrid); 2. *Ennui :* douleur morale intolérable, teintée d'indignation (sens très proche du sens classique); 3. *Zamora :* ville de León rendue célèbre par deux batailles, mais en 901 et 1093; 4. *Bague :* placée au bord d'une carrière ou d'une arène, elle était enlevée par la lance du cavalier au galop.

Qu'il vous puisse en éclats rejaillir à la face!
Suivez-moi!

HERNANI

Seigneur duc...

DON RUY GOMEZ

Suivez-moi! Suivez-moi!
Messieurs, avons-nous fait cela pour rire? Quoi!
Un trésor est chez moi. C'est l'honneur d'une fille,
260 D'une femme, l'honneur de toute une famille;
Cette fille, je l'aime, elle est ma nièce, et doit
Bientôt changer sa bague à l'anneau[1] de mon doigt,
Je la crois chaste et pure, et sacrée à tout homme.
Or il faut que je sorte une heure, et moi qu'on nomme
265 Ruy Gomez de Silva, je ne puis l'essayer
Sans qu'un larron d'honneur[2] se glisse à mon foyer!
Arrière! lavez donc vos mains, hommes sans âmes,
Car rien qu'en y touchant, vous nous tachez nos femmes.
Non. C'est bien. Poursuivez. Ai-je autre chose encor?
(Il arrache son collier.)
270 Tenez, foulez aux pieds, foulez ma toison d'or[3].
(Il jette son chapeau.)
Arrachez mes cheveux, faites-en chose vile!
Et vous pourrez demain vous vanter par la ville
Que jamais débauchés, dans leur jeux insolents,
N'ont sur plus noble front souillé cheveux plus blancs.

1. Contre l'anneau; 2. *Larron d'honneur :* suborneur, séducteur (expression de la langue classique); 3. *Toison d'or :* ordre de chevalerie, fondé en 1429 par Philippe le Bon, père de Charles le Téméraire, et dont l'insigne est un mouton d'or.

QUESTIONS

● Vers 221-274. Est-il naturel qu'un vieillard ému se lance dans une si longue tirade et que le roi reste silencieux? Cherchez d'autres exemples de passages construits de la même façon (un long couplet devant des personnages muets, comme écrasés) dans le théâtre de Victor Hugo; rapprochez de la composition de l'opéra. — Étudiez la composition antithétique de chacun des développements (v. 217-247, v. 248-256, v. 258-274). Les images épiques : en quoi annoncent-elles le ton de *la Légende des siècles?* Les familiarités vigoureuses, l'abondance verbale, la cadence du rythme ne préfigurent-elles pas d'autre part le poète des *Châtiments?* Montrez qu'*Hernani* essaye de fondre harmonieusement le lyrisme et l'épopée, le comique et le drame. Commentez, à propos de cette tirade, ce mot de Th. Gautier : « le rabâchage homérique chez le vieux Silva ».

DOÑA SOL

275 Monseigneur...

DON RUY GOMEZ, *à ses valets.*

Écuyers! écuyers! à mon aide!
Ma hache, mon poignard, ma dague de Tolède[1]!
(Aux deux jeunes gens.)
Et suivez-moi tous deux!

DON CARLOS, *faisant un pas.*

Duc, ce n'est pas d'abord
De cela qu'il s'agit. Il s'agit de la mort[2]
De Maximilien, empereur d'Allemagne.
(Il jette son manteau, et découvre son visage caché par son chapeau.)

DON RUY GOMEZ

280 Raillez-vous?... — Dieu! le roi!

DOÑA SOL

Le roi!

HERNANI, *dont les yeux s'allument.*

Le roi d'Espagne!

DON CARLOS, *gravement.*

Oui, Carlos. — Seigneur duc, es-tu donc insensé?
Mon aïeul[3] l'empereur est mort. Je ne le sai[4]
Que de ce soir. Je viens tout en hâte, et moi-même,
Dire la chose, à toi, féal[5] sujet que j'aime,
285 Te demander conseil, incognito, la nuit,
Et l'affaire est bien simple, et voilà bien du bruit!
(Don Ruy Gomez renvoie ses gens d'un signe. Il s'approche de don Carlos que doña Sol examine avec crainte et surprise, et sur lequel Hernani, demeuré dans un coin, fixe des yeux étincelants.)

1. *Tolède :* ville espagnole célèbre pour sa fabrique d'armes blanches; 2. Survenue le 12 janvier 1519. Ce détail date la pièce; 3. Don Carlos était fils de l'infante d'Espagne, Jeanne la Folle, et de l'archiduc Philippe le Beau, fils de Maximilien. Voir la Généalogie des Habsbourg, page 28; 4. *Sai :* supression poétique de l'*s* d'ailleurs conforme à l'étymologie; cette licence, admise seulement à la rime, existait à l'époque classique; 5. *Féal :* fidèle (terme de la féodalité).

QUESTIONS

● VERS 275-280. Ce coup de théâtre était-il prévisible? quelle est l'importance des déguisements? Analysez les réactions des personnages présents devant cette révélation. Comment le spectateur participe-t-il à ce coup de théâtre?

DON RUY GOMEZ

Mais pourquoi tarder tant à m'ouvrir cette porte?

DON CARLOS

Belle raison! tu viens avec toute une escorte!
Quand un secret d'État m'amène en ton palais,
290 Duc, est-ce pour l'aller dire à tous tes valets?

DON RUY GOMEZ

Altesse, pardonnez! L'apparence...

DON CARLOS

Bon père,
Je t'ai fait gouverneur du château de Figuère[1],
Mais qui dois-je à présent faire ton gouverneur?

DON RUY GOMEZ

Pardonnez...

DON CARLOS

Il suffit. N'en parlons plus, seigneur.
295 Donc l'empereur est mort.

DON RUY GOMEZ

L'aïeul de Votre Altesse
Est mort?

DON CARLOS

Duc, tu m'en vois pénétré de tristesse.

DON RUY GOMEZ

Qui lui succède?

DON CARLOS

Un duc de Saxe[2] est sur les rangs.
François premier, de France, est un des concurrents[3].

DON RUY GOMEZ

Où vont se rassembler les électeurs d'empire?

DON CARLOS

300 Ils ont choisi, je crois, Aix-la-Chapelle, ou Spire,

---

1. *Figuère :* nom francisé de *figueras*, ville forte dans la province de Barcelone, près de la frontière française; 2. *Le duc de Saxe :* Frédéric III le Sage (1463-1525). Il s'est désisté au dernier moment en faveur de don Carlos; 3. Candidature soutenue par le pape.

QUESTIONS

● VERS 280-293. Que valent les explications de don Carlos? Don Ruy se laisse-t-il facilement convaincre?

Ou Francfort[1].

DON RUY GOMEZ

Notre roi, dont Dieu garde les jours,
N'a-t-il pensé jamais à l'empire?

DON CARLOS

Toujours.

DON RUY GOMEZ

C'est à vous qu'il revient[2].

DON CARLOS

Je le sais.

DON RUY GOMEZ

Votre père
Fut archiduc d'Autriche et l'empire, j'espère,
305 Aura ceci présent, que c'était votre aïeul,
Celui qui vient de choir de la pourpre au linceul.

DON CARLOS

Et puis on est bourgeois de Gand[3].

DON RUY GOMEZ

Dans mon jeune âge
Je le vis, votre aïeul. Hélas! seul je surnage
D'un siècle tout entier. Tout est mort à présent.
310 C'était un empereur magnifique et puissant.

DON CARLOS

Rome est pour moi.

DON RUY GOMEZ

Vaillant, ferme, point tyrannique.
Cette tête allait bien au vieux corps germanique!
(Il s'incline sur les mains du roi et les baise.)
Que je vous plains! Si jeune, en un tel deuil plongé!

DON CARLOS

Le pape veut ravoir la Sicile, que j'ai[4].
315 Un empereur ne peut posséder la Sicile,

---

1. En réalité, c'est à Francfort que la diète s'est réunie. Victor Hugo a préféré Aix-la-Chapelle, pour pouvoir évoquer Charlemagne, dont le souvenir domine l'acte IV. Ces vers préparent le spectateur à cette inexactitude historique; 2. Don Carlos est, en effet, le chef de la maison d'Autriche; 3. *Gand :* ville principale du comté de Flandre, que don Carlos, qu'on désigne ici par *on*, tenait de sa grand-mère; 4. La Sicile, dont l'histoire fut souvent liée à celle du royaume de Naples, était passée sous le pouvoir de Ferdinand le Catholique en 1479; le royaume de Naples y était passé à son tour en 1504.

Il me fait empereur; alors, en fils docile,
Je lui rends Naple[1]. Ayons l'aigle[2], et puis nous verrons
Si je lui laisserai rogner les ailerons!

DON RUY GOMEZ

Qu'avec joie il verrait, ce vétéran du trône,
320 Votre front déjà large aller à sa couronne!
Ah! seigneur, avec vous nous le pleurerons bien,
Cet empereur très grand, très bon et très chrétien!

DON CARLOS

Le saint-père est adroit. — Qu'est-ce que la Sicile?
C'est une île qui pend à mon royaume, une île,
325 Une pièce, un haillon, qui, tout déchiqueté,
Tient à peine à l'Espagne et qui traîne à côté.
— Que ferez-vous, mon fils, de cette île bossue,
Au monde impérial au bout d'un fil cousue?
Votre empire est mal fait; vite, venez ici,
330 Des ciseaux! et coupons! — Très saint-père, merci!
Car de ces pièces-là, si j'ai bonne fortune,
Je compte au saint-empire[3] en recoudre plus d'une,
Et, si quelques lambeaux m'en étaient arrachés,
Rapiécer mes États d'îles et de duchés!

DON RUY GOMEZ

335 Consolez-vous! Il est un empire des justes
Où l'on revoit les morts plus saints et plus augustes!

DON CARLOS

Ce roi François premier, c'est un ambitieux!
Le vieil empereur meurt. Vite il fait les doux yeux
A l'empire! A-t-il[4] pas sa France très chrétienne?
340 Ah! la part est pourtant belle, et vaut qu'on s'y tienne!
L'empereur mon aïeul disait au roi Louis[5] :
— Si j'étais Dieu le Père, et si j'avais deux fils,
Je ferais l'aîné Dieu, le second roi de France.
(Au duc.)
Crois-tu que François puisse avoir quelque espérance?

1. *Naple :* licence orthographique nécessitée par la prosodie. Cette phrase exprime la pensée du pape. La papauté avait, au moins une fois, montré qu'elle était hostile à l'annexion de Naples et de la Sicile par l'Empereur : c'était au XIIIe siècle, au moment où Manfred de Hohenstaufen régnait sur Naples; 2. *L'Aigle :* insigne de l'Empire; 3. *Le saint empire :* ainsi appelé parce que la papauté avait rétabli, en faveur de Charlemagne, l'Empire romain ou d'Occident; 4. Voir vers 25 et la note; 5. *Louis XII* (1462-1515).

DON RUY GOMEZ

345 C'est un victorieux.

DON CARLOS

Il faudrait tout changer.
La bulle d'or[1] défend d'élire un étranger.

DON RUY GOMEZ

A ce compte, seigneur, vous êtes roi d'Espagne?

DON CARLOS

Je suis bourgeois de Gand[2].

DON RUY GOMEZ

La dernière campagne[3]
A fait monter bien haut le roi François premier.

DON CARLOS

350 L'aigle qui va peut-être éclore à mon cimier
Peut aussi déployer ses ailes.

DON RUY GOMEZ

Votre Altesse
Sait-elle le latin?

DON CARLOS

Mal.

DON RUY GOMEZ

Tant pis. La noblesse
D'Allemagne aime fort qu'on lui parle latin[4].

DON CARLOS

Ils se contenteront d'un espagnol hautain[5];
355 Car il importe peu, croyez-en le roi Charle,
Quand la voix parle haut, quelle langue elle parle.
— Je vais en Flandre. Il faut que ton roi, cher Silva,
Te revienne empereur. Le roi de France va

---

1. La *bulle d'or :* ordonnance de Charles IV d'Allemagne qui réglait la forme des élections impériales (1356). La *bulle* était une boule de métal attachée au sceau des actes officiels; **2.** Voir vers 307 et la note; **3.** *La dernière campagne :* en Italie, marquée par la victoire de Marignan (1515) et la signature du Concordat avec le pape (1516); **4.** Le *latin* était la langue diplomatique de l'Empire; **5.** En fait, don Carlos, Flamand, parlait mal l'espagnol.

Tout remuer. Je veux le gagner de vitesse.
360 Je partirai sous peu.

DON RUY GOMEZ

Vous nous quittez, Altesse,
Sans purger l'Aragon de ces nouveaux bandits
Qui partout dans nos monts lèvent leurs fronts hardis?

DON CARLOS

J'ordonne au duc d'Arcos d'exterminer la bande.

DON RUY GOMEZ

Donnez-vous aussi l'ordre au chef qui la commande
365 De se laisser faire?

DON CARLOS

Hé! quel est ce chef? son nom?

DON RUY GOMEZ

Je l'ignore. On le dit un rude compagnon.

DON CARLOS

Bah! je sais que pour l'heure il se cache en Galice[1],
Et j'en aurai raison avec quelque milice[2].

DON RUY GOMEZ

De faux avis alors le disaient près d'ici.

DON CARLOS

370 Faux avis! — Cette nuit tu me loges.

DON RUY GOMEZ, *s'inclinant jusqu'à terre.*

Merci,
Altesse!

(Il appelle ses valets.)

Faites tous honneur au roi mon hôte.

---

1. *Galice :* province située près de l'Atlantique et loin de Saragosse; 2. *Milice :* expédition militaire (sens premier).

QUESTIONS

● VERS 294-360. Montrez qu'en fait il n'y a pas de dialogue entre les deux personnages, mais que chacun de son côté poursuit son idée. Quel est l'effet produit? Soulignez le contraste psychologique entre le vieux duc, tourné vers le passé, et le jeune roi don Carlos, plein d'ambition. Rapprochez le présent de l'indicatif employé aux vers 314 et suivants de celui qu'utilise Picrochole chez Rabelais. — Pourquoi ce cours d'histoire? Comment se rattache-t-il au sujet?

(Les valets rentrent avec des flambeaux. Le duc les range sur deux haies jusqu'à la porte du fond. Cependant, doña Sol s'approche lentement d'Hernani. Le roi les épie tous deux.)

DOÑA SOL, *bas à Hernani.*

Demain, sous ma fenêtre, à minuit, et sans faute.
Vous frapperez des mains trois fois[1].

HERNANI, *bas.*

Demain!

DON CARLOS, *à part.*

Demain!

(Haut à doña Sol vers laquelle il fait un pas avec galanterie.)
Souffrez que pour rentrer je vous offre la main.
(Il la reconduit à la porte. Elle sort.)

HERNANI,

la main dans sa poitrine sur la poignée de sa dague.

375 Mon bon poignard!

DON CARLOS, *revenant, à part.*

Notre homme a la mine attrapée.

(Il prend à part Hernani.)
Je vous ai fait l'honneur de toucher votre épée,
Monsieur. Vous me seriez suspect pour cent raisons.
Mais le roi don Carlos répugne aux trahisons.
Allez. Je daigne encor protéger votre fuite.

DON RUY GOMEZ

revenant et montrant Hernani.

380 Qu'est ce seigneur?

DON CARLOS

Il part. C'est quelqu'un de ma suite.

---

1. V. Hugo avait d'abord songé à trois appels de cor (voir vers 1982).

QUESTIONS

● VERS 360-380. Notez tous les jeux de scène et leur importance. S'attendait-on à la générosité de don Carlos? Se justifie-t-elle sur le plan psychologique? Était-elle nécessaire pour résoudre la situation créée par cette scène? Expliquez les sous-entendus du vers 377.

(Ils sortent avec les valets et les flambeaux, le duc précédant le roi, une cire à la main.)

SCÈNE IV. — HERNANI, *seul.*

Oui, de ta suite, ô roi! de ta suite! — J'en suis!
Nuit et jour, en effet, pas à pas, je te suis.
Un poignard à la main, l'œil fixé sur ta trace,
Je vais. Ma race en moi poursuit en toi ta race.
385 Et puis, te voilà donc mon rival! Un instant
Entre aimer et haïr je suis resté flottant;
Mon cœur pour elle et toi n'était point assez large,
J'oubliais en l'aimant ta haine qui me charge;
Mais, puisque tu le veux, puisque c'est toi qui viens
390 Me faire souvenir, c'est bon, je me souviens!
Mon amour fait pencher la balance incertaine
Et tombe tout entier du côté de ma haine.
Oui, je suis de ta suite, et c'est toi qui l'as dit!
Va, jamais courtisan de ton lever maudit,
395 Jamais seigneur baisant ton ombre, ou majordome[1]
Ayant à te servir abjuré son cœur d'homme,
Jamais chiens de palais dressés à suivre un roi
Ne seront sur tes pas plus assidus que moi!
Ce qu'ils veulent de toi, tous ces grands de Castille,
400 C'est quelque titre creux, quelque hochet qui brille,
C'est quelque mouton d'or[2] qu'on se va pendre au cou;

1. *Majordome :* maître d'hôtel d'une maison princière; 2. *Mouton d'or :* la Toison d'or; voir vers 270 et la note.

QUESTIONS

■ SUR L'ENSEMBLE DE LA SCÈNE III. — Montrez que don Ruy se trouve dans une situation vaudevillesque — qu'il radote même un peu. Comment Hugo le sauve-t-il du ridicule, tout en lui conservant certains traits traditionnels du vieillard amoureux et jaloux?

— Don Carlos : montrez qu'il apparaît ici en grand politique et en roi. Appréciez son analyse de la situation. Que reste-t-il du libertin de la scène précédente?

— L'art de Victor Hugo : comment rend-il vivant l'exposé historique? Étudiez le mélange des genres et des sujets dans cette scène.

— Le rôle d'Hernani et de doña Sol au cours du long dialogue entre don Carlos et don Ruy : en tenant compte des indications données par Victor Hugo, imaginez l'attitude qu'ils doivent prendre.

Moi, pour vouloir si peu je ne suis pas si fou!
Ce que je veux de toi, ce n'est point faveurs vaines,
C'est l'âme de ton corps, c'est le sang de tes veines,
405 C'est tout ce qu'un poignard, furieux et vainqueur,
En y fouillant longtemps peut prendre au fond d'un cœur.
Va devant! je te suis. Ma vengeance qui veille
Avec moi toujours marche et me parle à l'oreille.
Va! je suis là, j'épie et j'écoute, et sans bruit
410 Mon pas cherche ton pas et le presse et le suit.
Le jour tu ne pourras, ô roi, tourner la tête
Sans me voir immobile et sombre dans ta fête;
La nuit tu ne pourras tourner les yeux, ô roi,
Sans voir mes yeux ardents[1] luire derrière toi!

(Il sort par la petite porte.)

---

1. Cette ardeur du regard fait déjà l'objet d'indications scéniques assez nombreuses (v. 280 et 286).

QUESTIONS

■ SUR LA SCÈNE IV. — La composition du monologue. Montrez qu'il achève l'exposition. Que nous apprend-il sur le double aspect d'Hernani? (v. 385-388). Comparez ce monologue à celui du *Cid* (I, VII) au point de vue psychologique. Y a-t-il conflit ici?

— Notez le ton mélodramatique dans la seconde partie.

— Comment s'expriment ici la haine et le désir de vengeance? Analysez le rythme, les procédés d'évocation, d'insistance. Comparez l'effet hallucinatoire cherché à la fin du monologue avec « la Conscience » (*la Légende des siècles*, II, II).

■ SUR L'ENSEMBLE DE L'ACTE PREMIER. — La psychologie : faites le portrait de chacun des personnages à la fin de cet acte. Appréciez leur vérité et leur profondeur. Est-ce bien là l'essentiel dans le drame romantique?

— L'action : jugez la valeur d'exposition de cet acte. L'intrigue est-elle bien nouée? L'action a-t-elle progressé depuis la première scène? La tension tragique à la fin de l'acte.

— L'art de Victor Hugo : la fréquence des dialogues où un personnage écrase les autres (par sa force, la longueur de son texte). Que peut-on en conclure sur la difficulté d'insérer le lyrisme dans le cadre du drame? Sur l'évolution de la conception théâtrale?

— L'importance du mélange des tons et des genres (grotesque, épopée, lyrisme); du pittoresque (historique, local); du mouvement scénique. Quelle conception dramatique traduit cette préoccupation qui paraît dominante?

Phot. Roger-Viollet.

PATIO D'UNE VIEILLE MAISON ESPAGNOLE

Bibliothèque de l'Arsenal.

« Je descends. » (Vers 480.)
SARAH BERNHARDT DANS LE RÔLE DE DOÑA SOL (1877)

ACTE II

LE BANDIT

SARAGOSSE

Un patio[1] *du palais de Silva. A gauche, les grands murs du palais, avec une fenêtre à balcon. Au-dessous de la fenêtre, une petite porte. A droite et au fond, des maisons et des rues. — Il est nuit. On voit briller çà et là, aux façades des édifices, quelques fenêtres encore éclairées.*

SCÈNE PREMIÈRE. — DON CARLOS, DON SANCHO SANCHEZ DE ZUNIGA, COMTE DE MONTEREY, DON MATIAS CENTURION, MARQUIS D'ALMUNAN, DON RICARDO DE ROXAS, SEIGNEUR DE CASAPALMA.

(Ils arrivent tous quatre, don Carlos en tête, chapeaux rabattus, enveloppés de longs manteaux dont leurs épées soulèvent le bord inférieur.)

DON CARLOS, *examinant le balcon.*

415 Voilà bien le balcon, la porte... Mon sang bout.

(Montrant la fenêtre qui n'est pas éclairée.)

Pas de lumière encor!

(Il promène ses yeux sur les croisées éclairées.)

Des lumières partout
Où je n'en voudrais pas, hors à cette fenêtre
Où j'en voudrais!

DON SANCHO

Seigneur, reparlons de ce traître.
Et vous l'avez laissé partir!

DON CARLOS

Comme tu dis.

DON MATIAS

420 Et peut-être c'était le major[2] des bandits!

---

1. *Patio :* cour dallée servant de promenoir; 2. *Major :* ou major général de bataille, officier supérieur chargé de l'administration, du recrutement et de la comptabilité.

DON CARLOS

Qu'il en soit le major ou bien le capitaine,
Jamais roi couronné n'eut mine plus hautaine.

DON SANCHO

Son nom, seigneur?

DON CARLOS, *les yeux fixés sur la fenêtre.*

Muñoz... Fernan...
(Avec le geste d'un homme qui se rappelle tout à coup.)
Un nom en i.

DON SANCHO

Hernani, peut-être?

DON CARLOS

Oui.

DON SANCHO

C'est lui!

DON MATIAS

C'est Hernani?

425 Le chef!

DON SANCHO, *au roi.*

De ses propos vous reste-t-il mémoire?

DON CARLOS, *qui ne quitte pas la fenêtre des yeux.*

Hé! je n'entendais rien dans leur maudite armoire!

DON SANCHO

Mais pourquoi le lâcher lorsque vous le tenez?
(Don Carlos se tourne gravement et le regarde en face.)

DON CARLOS

Comte de Monterey, vous me questionnez[1].
(Les deux seigneurs reculent et se taisent.)
Et d'ailleurs ce n'est point le souci qui m'arrête.
430 J'en veux à sa maîtresse et non point à sa tête.
J'en suis amoureux fou! Les yeux noirs les plus beaux,
Mes amis! deux miroirs! deux rayons! deux flambeaux!
Je n'ai rien entendu de toute leur histoire
Que ces trois mots : Demain, venez, à la nuit noire!
435 Mais c'est l'essentiel. Est-ce pas excellent?
Pendant que ce bandit, à mine de galant,

1. Prononcer *ques-ti-o-nner* (diérèse), de même (v. 435) *es-sen-ti-el*.

S'attarde à quelque meurtre, à creuser quelque tombe,
Je viens tout doucement dénicher sa colombe.

DON RICARDO

Altesse, il eût fallu, pour compléter le tour,
440 Dénicher la colombe en tuant le vautour.

DON CARLOS, *à don Ricardo.*

Comte! un digne conseil! vous avez la main prompte!

DON RICARDO, *s'inclinant profondément.*

Sous quel titre plaît-il au roi que je sois comte?

DON SANCHO, *vivement.*

C'est méprise!

DON RICARDO, *à don Sancho.*

Le roi m'a nommé comte.

DON CARLOS

Assez!

Bien.
(A Ricardo.)
J'ai laissé tomber ce titre. Ramassez.

DON RICARDO, *s'inclinant de nouveau.*

445 Merci, seigneur!

DON SANCHO, *à don Matias.*

Beau comte! un comte de surprise.

(Le roi se promène au fond, examinant avec impatience les fenêtres éclairées. Les deux seigneurs causent sur le devant.)

DON MATIAS, *à don Sancho.*

Mais que fera le roi, la belle une fois prise?

DON SANCHO, *regardant Ricardo de travers.*

Il la fera comtesse, et puis dame d'honneur.
Puis, qu'il en ait un fils, il sera roi.

DON MATIAS

Seigneur,
Allons donc! un bâtard! Comte, fût-on altesse,
450 On ne saurait tirer un roi d'une comtesse!

DON SANCHO

Il la fera marquise, alors, mon cher marquis.

DON MATIAS

On garde les bâtards pour les pays conquis.
On les fait vice-rois[1]. C'est à cela qu'ils servent.
(Don Carlos revient.)

DON CARLOS, *regardant avec colère toutes les fenêtres éclairées.*

Dirait-on[2] pas des yeux jaloux qui nous observent?
455 Enfin! en voilà deux qui s'éteignent! allons!
Messieurs, que les instants de l'attente sont longs!
Qui fera marcher l'heure avec plus de vitesse?

DON SANCHO

C'est ce que nous disons souvent chez votre Altesse.

DON CARLOS

Cependant que chez vous mon peuple le redit.
(La dernière fenêtre éclairée s'éteint.)
460 La dernière est éteinte!
(Tourné vers le balcon de doña Sol toujours noir.)
O vitrage maudit!
Quand t'éclaireras-tu? — Cette nuit est bien sombre,
Doña Sol, viens briller comme un astre dans l'ombre.
(A don Ricardo.)
Quelle heure est-il?

DON RICARDO

Minuit bientôt.

DON CARLOS

Il faut finir
Pourtant! A tout moment l'autre peut survenir.
(La fenêtre de doña Sol s'éclaire. On voit son ombre se dessiner sur les vitraux lumineux.)
465 Mes amis! un flambeau! Son ombre à la fenêtre!
Jamais jour ne me fut plus charmant à voir naître.
Hâtons-nous! faisons-lui le signal qu'elle attend.
Il faut frapper des mains trois fois. Dans un instant,
Mes amis, vous allez la voir! — Mais notre nombre
470 Va l'effrayer peut-être... Allez tous trois dans l'ombre
Là-bas, épier l'autre. Amis, partageons-nous
Les deux amants. Tenez, à moi la dame, à vous
Le brigand.

1. Allusion possible à Ferdinand Ier, bâtard d'Alphonse d'Aragon, devenu vice-roi de Naples (1458). Plus tard, à partir de 1535, des vice-rois gouvernèrent les possessions espagnoles d'Amérique; 2. Voir vers 25 et la note.

DON RICARDO

Grand merci!

DON CARLOS

S'il vient, de l'embuscade
Sortez vite, et poussez au drôle une estocade[1].
475 Pendant qu'il reprendra ses esprits sur le grès[2],
J'emporterai la belle, et nous rirons après.
N'allez pas cependant le tuer! C'est un brave
Après tout, et la mort d'un homme est chose grave.
(Les deux seigneurs s'inclinent et sortent. Don Carlos les laisse s'éloigner, puis frappe des mains à deux reprises. A la deuxième fois la fenêtre s'ouvre, et doña Sol paraît sur le balcon.)

SCÈNE II. — DON CARLOS, DOÑA SOL.

DOÑA SOL, *au balcon.*

Est-ce vous, Hernani?

DON CARLOS, *à part.*

Diable! ne parlons pas!
(Il frappe de nouveau des mains.)

---

1. *Estocade :* coup de pointe donné avec l'épée; 2. *Grès :* pavé.

QUESTIONS

■ SUR LA SCÈNE PREMIÈRE. — Combien de temps s'est-il écoulé depuis le premier acte? (voir v. 372).

— Notez le nouveau décor, la couleur locale des noms, la description minutieuse des costumes.

— Qu'est-ce qui fait l'unité de cette scène?

— Notez les jeux de scène et les effets de lumière.

— Soulignez le prosaïsme voulu de certaines répliques; indiquez-en la raison en vous souvenant qu'*Hernani* est, dans un certain sens, une œuvre polémique; rapprochez le vers 463 de la « Réponse à un acte d'accusation » (*les Contemplations*, I, VI).

— Les différents aspects sous lesquels don Carlos se présente ici : libertin sans scrupules (v. 476); roi hautain avec ses courtisans, chevaleresque dans son évocation d'Hernani.

— La satire des courtisans, le personnage de don Ricardo : les propos aigres-doux échangés; l'attitude du roi à leur égard. Comparez avec les vers 399-401 et avec la scène II de l'acte III de *Ruy Blas*. Quelle résonance pouvaient avoir de tels passages pour les spectateurs de 1830?

— Étudiez le comique verbal, les expressions familières dans le rôle de don Carlos.

DOÑA SOL

480 Je descends.

(Elle referme la fenêtre, dont la lumière disparaît. Un moment après, la petite porte s'ouvre, et doña Sol en sort, une lampe à la main, sa mante sur les épaules.)

DOÑA SOL

Hernani!

(Don Carlos rabat son chapeau sur son visage et s'avance précipitamment vers elle.)

DOÑA SOL, *laissant tomber sa lampe.*

Dieu! ce n'est point son pas!

(Elle veut rentrer. Don Carlos court à elle et la retient par le bras.)

DON CARLOS

Doña Sol!

DOÑA SOL

Ce n'est point sa voix! Ah! malheureuse!

DON CARLOS

Eh! quelle voix veux-tu qui soit plus amoureuse?
C'est toujours un amant, et c'est un amant roi!

DOÑA SOL

Le roi!

DON CARLOS

Souhaite, ordonne, un royaume est à toi!
485 Car celui dont tu veux briser la douce entrave,
C'est le roi ton seigneur, c'est Carlos ton esclave!

DOÑA SOL, *cherchant à se dégager de ses bras.*

Au secours, Hernani!

DON CARLOS

Le juste et digne effroi!
Ce n'est pas ton bandit qui te tient, c'est le roi!

DOÑA SOL

Non. Le bandit, c'est vous! N'avez-vous pas de honte?
490 Ah! pour vous à la face une rougeur me monte.
Sont-ce là les exploits dont le roi fera bruit?
Venir ravir de force une femme la nuit!
Que mon bandit vaut mieux cent fois! Roi, je proclame
Que, si l'homme naissait où le place son âme,
495 Si Dieu faisait le rang à la hauteur du cœur,

Certe[1], il serait le roi, prince, et vous le voleur!

DON CARLOS, *essayant de l'attirer.*

Madame...

DOÑA SOL

Oubliez-vous que mon père était comte?

DON CARLOS

Je vous ferai duchesse.

DOÑA SOL, *le repoussant.*

Allez! c'est une honte!

(Elle recule de quelques pas.)

Il ne peut être rien[2] entre nous, don Carlos.
500 Mon vieux père a pour vous versé son sang à flots.
Moi, je suis fille noble, et de ce sang jalouse.
Trop pour la concubine, et trop peu pour l'épouse!

DON CARLOS

Princesse[3]!

DOÑA SOL

Roi Carlos, à des filles de rien
Portez votre amourette, ou je pourrais fort bien,
505 Si vous m'osez traiter d'une façon infâme,
Vous montrer que je suis dame, et que je suis femme!

DON CARLOS

Eh bien! partagez donc et mon trône et mon nom.
Venez, vous serez reine, impératrice!...

DOÑA SOL

Non.

C'est un leurre. Et d'ailleurs, Altesse, avec franchise,
510 S'agît-il[4] pas de vous, s'il faut que je le dise,
J'aime mieux avec lui, mon Hernani, mon roi,
Vivre errante, en dehors du monde et de la loi,

1. *Certe :* voir vers 317 et la note; 2. Il ne peut rien y avoir de commun; 3. [Je vous ferai] *princesse* (voir vers 498); 4. Même s'il ne s'agissait pas du roi que vous êtes (tournure classique).

QUESTIONS

● VERS 482-496. Le comportement de don Carlos : soulignez ce qu'il y a de plébéien et de satirique dans son attitude. Comment Victor Hugo joue-t-il sur l'antithèse « roi-bandit »? Appréciez de ce point de vue la réponse de doña Sol.

● VERS 497-508. Les promesses mensongères de don Carlos : quelle erreur impardonnable commet-il aux yeux de doña Sol?

Ayant faim, ayant soif, fuyant toute l'année,
Partageant jour à jour sa pauvre destinée,
515 Abandon, guerre, exil, deuil, misère et terreur,
Que d'être impératrice avec un empereur!

DON CARLOS

Que cet homme est heureux!

DOÑA SOL

Quoi? pauvre, proscrit même!

DON CARLOS

Qu'il fait bien d'être pauvre et proscrit, puisqu'on l'aime!
Moi, je suis seul! Un ange accompagne ses pas!
520 Donc vous me haïssez?

DOÑA SOL

Je ne vous aime pas.

DON CARLOS, *la saisissant avec violence.*

Eh bien! que vous m'aimiez ou non, cela n'importe!
Vous viendrez, et ma main plus que la vôtre est forte.
Vous viendrez! je vous veux! Pardieu, nous verrons bien
Si je suis roi d'Espagne et des Indes[1] pour rien!

DOÑA SOL, *se débattant.*

525 Seigneur! oh! par pitié! Quoi! vous êtes altesse,
Vous êtes roi. Duchesse, ou marquise, ou comtesse,
Vous n'avez qu'à choisir. Les femmes de la cour
Ont toujours un amour tout prêt pour votre amour.
Mais mon proscrit, qu'a-t-il reçu du ciel avare?
530 Ah! vous avez Castille, Aragon et Navarre,
Et Murcie, et Léon, dix royaumes encor,
Et les Flamands, et l'Inde avec les mines d'or!
Vous avez un empire auquel nul roi ne touche,
Si vaste que jamais le soleil ne s'y couche!
535 Et, quand vous avez tout, voudrez-vous, vous le roi,
Me prendre, pauvre fille, à lui qui n'a que moi?
(Elle se jette à ses genoux. Il cherche à l'entraîner.)

1. Titre officiel que prit Charles Quint, mais seulement en 1521.

QUESTIONS

● VERS 509-520. Comment s'exprime la passion chez doña Sol (dévouement, goût du romanesque, etc.)? — Don Carlos n'essaye-t-il pas, lui aussi, de faire jouer la pitié? Analysez le choc des vers 518-520 avec l'hémistiche prononcé par doña Sol.

DON CARLOS

Viens! Je n'écoute rien. Viens! Si tu m'accompagnes,
Je te donne, choisis, quatre de mes Espagnes.
Dis, lesquelles veux-tu? Choisis!
(Elle se débat dans ses bras.)

DOÑA SOL

Pour mon honneur,
540 Je ne veux rien de vous que ce poignard, seigneur!
(Elle lui arrache le poignard de sa ceinture. Il la lâche et recule.)
Avancez maintenant! faites un pas!

DON CARLOS

La belle!
Je ne m'étonne plus si l'on aime un rebelle!
(Il veut faire un pas. Elle lève le poignard.)

DOÑA SOL

Pour un pas, je vous tue, et me tue.
(Il recule encore. Elle se détourne et crie avec force.)
Hernani!
Hernani!

DON CARLOS

Taisez-vous!

DOÑA SOL, *le poignard levé.*

Un pas! tout est fini.

DON CARLOS

545 Madame! à cet excès ma douceur est réduite.
J'ai là pour vous forcer trois hommes de ma suite.

HERNANI, *surgissant tout à coup derrière lui.*

Vous en oubliez un!
(Le roi se retourne et voit Hernani immobile derrière lui,

QUESTIONS

● VERS 521-547. Pourquoi don Carlos se montre-t-il si brutal? Faites la part de la jalousie, celle de l'orgueil. — Commentez le vers 524. — Doña Sol est-elle adroite en implorant la pitié pour l'homme qu'elle aime? Quel aspect de doña Sol nous révèle le coup de théâtre du vers 540? — Quel effet produit le second coup de théâtre (v. 547) après la dernière réplique de don Carlos? Pourquoi Hernani apparaît-il juste à ce moment? encore une intervention de l'auteur dans l'action.

dans l'ombre, les bras croisés sous le long manteau qui l'enveloppe, et le large bord de son chapeau relevé. Doña Sol pousse un cri, court à Hernani et l'entoure de ses bras.)

SCÈNE III. — DON CARLOS, DOÑA SOL, HERNANI.

HERNANI, *immobile, les bras toujours croisés, et ses yeux étincelants fixés sur le roi.*

Ah! le ciel m'est témoin
Que volontiers je l'eusse été chercher plus loin!

DOÑA SOL

Hernani, sauvez-moi de lui!

HERNANI

Soyez tranquille,
550 Mon amour!

DON CARLOS

Que font donc mes amis par la ville?
Avoir laissé passer ce chef de bohémiens!
(Appelant.)
Monterey!

HERNANI

Vos amis sont au pouvoir des miens,
Et ne réclamez pas leur épée impuissante :
Pour trois qui vous viendraient, il m'en viendrait soixante.
555 Soixante dont un seul vous vaut tous quatre. Ainsi
Vidons entre nous deux notre querelle ici.
Quoi! vous portiez la main sur cette jeune fille!
C'était d'un imprudent, seigneur roi de Castille,
Et d'un lâche!

QUESTIONS

■ SUR L'ENSEMBLE DE LA SCÈNE II. — Composition de cette scène.
— Étudiez les différentes nuances du caractère de doña Sol tel qu'il se dessine progressivement ici. Comment s'allient en elle la passion romantique et l'honneur espagnol?

— Don Carlos est-il un personnage aussi simple qu'il avait paru auparavant; est-il seulement et constamment odieux? Comparez certains de ses accents à ceux de Néron, en face de Junie, dans *Britannicus*, de Racine.

— Le pathétique de cette scène, préparé par les décors et la luminosité, souligné par les jeux de scène et ponctué par les coups de théâtre. L'effet produit sur le spectateur.

DON CARLOS, *souriant avec dédain.*

Seigneur bandit, de vous à moi
560 Pas de reproche!

HERNANI

Il raille! Oh! je ne suis pas roi;
Mais, quand un roi m'insulte et pour surcroît me raille,
Ma colère va haut et me monte à sa taille,
Et, prenez garde, on craint, quand on me fait affront,
Plus qu'un cimier de roi la rougeur de mon front!
565 Vous êtes insensé si quelque espoir vous leurre.
(Il lui saisit le bras.)
Savez-vous quelle main vous étreint à cette heure?
Écoutez. Votre père a fait mourir le mien,
Je vous hais. Vous avez pris mon titre et mon bien,
Je vous hais. Nous aimons tous deux la même femme,
570 Je vous hais, je vous hais, oui, je te[1] hais dans l'âme!

DON CARLOS

C'est bien.

HERNANI

Ce soir pourtant ma haine était bien loin.
Je n'avais qu'un désir, qu'une ardeur, qu'un besoin,
Doña Sol! Plein d'amour, j'accourais... Sur mon âme!
Je vous trouve essayant sur elle un rapt infâme!
575 Quoi! vous que j'oubliais, sur ma route placé!
Seigneur, je vous le dis, vous êtes insensé!
Don Carlos, te voilà pris à ton propre piège.
Ni fuite, ni secours! je te tiens et t'assiège!
Seul, entouré partout d'ennemis acharnés.
580 Que vas-tu faire?

DON CARLOS, *fièrement.*

Allons! vous me questionnez!

HERNANI

Va, va, je ne veux pas qu'un bras obscur te frappe.
Il ne sied pas qu'ainsi ma vengeance m'échappe.
Tu ne seras touché par un autre que moi.
Défends-toi donc.
(Il tire son épée.)

1. Comme chez les classiques, le tutoiement apparaît dans un moment de forte intensité passionnelle.

DON CARLOS

Je suis votre seigneur le roi.
585 Frappez. Mais pas de duel[1].

HERNANI

Seigneur, qu'il te souvienne
Qu'hier encor ta dague a rencontré la mienne[2].

DON CARLOS

Je le pouvais hier. J'ignorais votre nom.
Vous ignoriez mon titre. Aujourd'hui, compagnon,
Vous savez qui je suis et je sais qui vous êtes.

HERNANI

590 Peut-être.

DON CARLOS

Pas de duel. Assassinez-moi. Faites!

HERNANI

Crois-tu donc que les rois à moi me sont sacrés?
Çà, te défendras-tu?

DON CARLOS

Vous m'assassinerez!
(Hernani recule. Don Carlos fixe des yeux d'aigle sur lui.)
Ah! vous croyez, bandits, que vos brigades viles
Pourront impunément s'épandre dans les villes?
595 Que teints de sang, chargés de meurtres, malheureux!
Vous pourrez après tout[3] faire les généreux,
Et que nous daignerons, nous, victimes trompées,
Anoblir vos poignards du choc de nos épées!
Non le crime vous tient. Partout vous le traînez.
600 Nous, des duels avec vous! arrière! assassinez.
(Hernani, sombre et pensif, tourmente quelques instants de la main la poignée de son épée, puis se retourne brusquement vers le roi, et brise la lame sur le pavé.)

1. *Duel :* monosyllabe comme aux vers 590, 600, 1280; 2. Voir vers 204; 3. *Après tout :* malgré tout cela.

QUESTIONS

● VERS 547-585. Le réquisitoire d'Hernani, ses divers éléments. Distinguez les arguments d'ordre privé (esprit de vengeance, jalousie). Le lyrisme de la haine. — Caractérisez l'attitude de don Carlos : dans quelle mesure affaiblit-elle l'effet « terrifiant » que devrait produire l'explosion de haine d'Hernani?

HERNANI

Va-t'en donc!
(Le roi se tourne à demi vers lui et le regarde avec hauteur.)
Nous aurons des rencontres meilleures.
Va-t'en.

DON CARLOS

C'est bien, monsieur. Je vais dans quelques heures
Rentrer, moi votre roi, dans le palais ducal.
Mon premier soin sera de mander le fiscal[1]
605 A-t-on fait mettre à prix votre tête?

HERNANI

Oui.

DON CARLOS

Mon maître,
Je vous tiens de ce jour sujet rebelle et traître.
Je vous en avertis, partout je vous poursuis.
Je vous fais mettre au ban[2] du royaume.

HERNANI

J'y suis
Déjà.

DON CARLOS

Bien.

HERNANI

Mais la France est auprès de l'Espagne.
610 C'est un port[3].

DON CARLOS

Je vais être empereur d'Allemagne.
Je vous fais mettre au ban de l'empire.

---

1. *Le fiscal :* officier espagnol chargé du ministère public; 2. *Faire mettre au ban :* terme de féodalité. Ici « faire proclamer » dans tout le royaume qu'Hernani, rebelle et traître, doit être arrêté — d'où, en fait, obliger Hernani à s'exiler; 3. *Port :* asile.

QUESTIONS

● VERS 586-601. La grandeur d'âme de don Carlos. Pourquoi refuse-t-il le duel et accepte-t-il la mort? A quel principe reste-t-il fidèle? Comparez son attitude à celle de la scène précédente quand doña Sol le menaçait de son poignard. — Montrez qu'Hernani hésite, que ses paroles ne sont pas toujours en harmonie avec sa pensée (rapprochez le vers 591 des indications qui suivent le vers 600). — Qui prend l'avantage?

HERNANI

A ton gré.

J'ai le reste du monde où je te braverai.
Il est plus d'un asile où ta puissance tombe.

DON CARLOS

Et quand j'aurai le monde?

HERNANI

Alors j'aurai la tombe.

DON CARLOS

615 Je saurai déjouer vos complots insolents.

HERNANI

La vengeance est boiteuse, elle vient à pas lents,
Mais elle vient.

DON CARLOS, *riant à demi, avec dédain.*

Toucher à la dame qu'adore
Ce bandit!

HERNANI, *dont les yeux se rallument.*

Songes-tu que je te tiens encore?
Ne me rappelle pas, futur césar romain,
620 Que je t'ai là, chétif et petit dans ma main,
Et que, si je serrais cette main trop loyale,
J'écraserais dans l'œuf ton aigle impériale!

DON CARLOS

Faites.

HERNANI

Va-t'en! va-t'en!
(Il ôte son manteau et le jette sur les épaules du roi.)
Fuis, et prends ce manteau.
Car dans nos rangs pour toi je crains quelque couteau.
(Le roi s'enveloppe du manteau.)
625 Pars tranquille à présent. Ma vengeance altérée
Pour tout autre que moi fait ta tête sacrée.

QUESTIONS

● VERS 602-614. Montrez que, malgré le danger, don Carlos parle en roi, et qu'Hernani, par son courage généreux, se hausse jusqu'à lui (v. 614). Appréciez le fait que des partisans des classiques aient applaudi ici.

DON CARLOS

Monsieur, vous qui venez de me parler ainsi,
Ne demandez un jour ni grâce ni merci!
(Il sort.)

SCÈNE IV. — HERNANI, DOÑA SOL, *puis* UN MONTAGNARD.

DOÑA SOL, *saisissant la main d'Hernani.*

Maintenant, fuyons vite.

HERNANI, *la repoussant avec une douceur grave.*

Il vous sied, mon amie,
630 D'être dans mon malheur toujours plus raffermie,
De n'y point renoncer, et de vouloir toujours,
Jusqu'au fond, jusqu'au bout, accompagner mes jours.
C'est un noble dessein, digne d'un cœur fidèle!
Mais, tu le vois, mon Dieu, pour tant accepter d'elle,
635 Pour emporter joyeux dans mon antre avec moi
Ce trésor de beauté qui rend jaloux un roi,
Pour que ma doña Sol me suive et m'appartienne,
Pour lui prendre sa vie et la joindre à la mienne,
Pour l'entraîner sans honte encore et sans regrets,
640 Il n'est plus temps; je vois l'échafaud de trop près.

QUESTIONS

● VERS 615-628. La dernière bravade de don Carlos peut-elle triompher de la magnanimité d'Hernani? Les quatre derniers vers ne sont-ils pas dans la logique des caractères, au point où le dialogue les a fait s'élever?

■ SUR L'ENSEMBLE DE LA SCÈNE III. — Étudiez la composition, les diverses phases de ce duel de générosité soulignées par la variété du ton et du vocabulaire des personnages. Est-ce une scène tragique?
— Tout en admirant la générosité d'Hernani, demandez-vous comment il pourra se venger un jour de don Carlos — qui n'acceptera jamais de se battre en duel avec lui — et s'il ne trahit pas ses amis en agissant comme il le fait ici. L'attitude des personnages nous surprend-elle ou ou bien justifie-t-elle certains indices qui nous ont été donnés antérieurement? Dans quelle mesure cette scène prépare-t-elle la clémence de l'acte IV?
— Montrez, d'après cette scène, qu'Hernani, poussé par des sentiments et des passions contradictoires, n'est pas un homme d'action. Analysez le combat que se livrent en lui la haine et l'orgueil.
— Expliquez et justifiez les passages du *vous* au *tu* et inversement au cours de cette scène.

DOÑA SOL

Que dites-vous?

HERNANI

Ce roi que je bravais en face
Va me punir d'avoir osé lui faire grâce.
Il fuit; déjà peut-être il est dans son palais,
Il appelle ses gens, ses gardes, ses valets,
645 Ses seigneurs, ses bourreaux...

DOÑA SOL

Hernani! Dieu! Je tremble!
Eh bien! hâtons-nous donc alors! fuyons ensemble!

HERNANI

Ensemble! non, non. L'heure en est passée. Hélas!
Doña Sol, à mes yeux quand tu te révélas,
Bonne et daignant m'aimer d'un amour secourable,
650 J'ai bien pu vous offrir, moi, pauvre misérable,
Ma montagne, mon bois, mon torrent, — ta pitié
M'enhardissait, — mon pain de proscrit, la moitié
Du lit vert et touffu que la forêt me donne;
Mais t'offrir la moitié de l'échafaud! pardonne,
655 Doña Sol! l'échafaud, c'est à moi seul!

DOÑA SOL

Pourtant
Vous me l'aviez promis!

HERNANI, *tombant à ses genoux.*

Ange! ah! dans cet instant
Où la mort vient peut-être, où s'approche, dans l'ombre,
Un sombre dénouement pour un destin bien sombre,
Je le déclare ici, proscrit, traînant au flanc
660 Un souci profond, né dans un berceau sanglant,
Si noir que soit le deuil qui s'épand sur ma vie,
Je suis un homme heureux et je veux qu'on m'envie;
Car vous m'avez aimé! car vous me l'avez dit!
Car vous avez tout bas béni mon front maudit!

DOÑA SOL, *penchée sur sa tête.*

665 Hernani!

QUESTIONS

● VERS 629-655. Pourquoi Hernani refuse-t-il maintenant d'emmener doña Sol? Montrez le caractère ample et oratoire des répliques d'Hernani. Comment se marquent les nuances et les incertitudes de ses sentiments (rythme, vocabulaire, passages de *tu* à *vous* et vice versa)?

HERNANI

Loué soit le sort doux et propice
Qui me mit cette fleur au bord du précipice!
(Il se relève.)
Et ce n'est pas pour vous que je parle en ce lieu,
Je parle pour le ciel qui m'écoute, et pour Dieu.

DOÑA SOL

Souffre que je te suive.

HERNANI

Ah! ce serait un crime
670 Que d'arracher la fleur en tombant dans l'abîme.
Va, j'en ai respiré le parfum, c'est assez!
Renoue à d'autres jours tes jours par moi froissés.
Épouse ce vieillard. C'est moi qui te délie.
Je rentre dans ma nuit. Toi, sois heureuse, oublie!

DOÑA SOL

675 Non, je te suis! je veux ma part de ton linceul!
Je m'attache à tes pas.

HERNANI, *la serrant dans ses bras.*

Oh! laisse-moi fuir seul.
(Il la quitte avec un mouvement convulsif.)

DOÑA SOL, *douloureusement et joignant les mains.*

Hernani! tu me fuis! Ainsi donc, insensée,
Avoir donné sa vie, et se voir repoussée,
Et n'avoir, après tant d'amour et tant d'ennui[1],
680 Pas même le bonheur de mourir près de lui.

HERNANI

Je suis banni! je suis proscrit! je suis funeste[2]!

1. *Ennui :* chagrin; voir vers 241; 2. Par son rythme ce vers est un modèle de trimètre romantique (4 + 4 + 4); mais il se termine par un mot traditionnel du vocabulaire tragique, l'adjectif *funeste.*

QUESTIONS

● VERS 656-681. L'amour romantique : son origine divine (v. 634, 665-668); la fatalité qui s'acharne contre cet amour, même quand il est partagé Soulignez le contraste entre les deux mouvements de la réplique d'Hernani (v. 656-664). — Pourquoi Hernani conseille-t-il à doña Sol de renouer ses jours à ceux du vieillard? Bien qu'il soit sincère, comment se comporterait-il si elle l'acceptait? (voir acte III, scène III). — Le rôle de doña Sol : son obstination, sa révolte : l'importance du vers 680.

DOÑA SOL

Ah! vous êtes ingrat!

HERNANI, *revenant sur ses pas.*

Eh bien, non! non, je reste,
Tu le veux, me voici. Viens, oh! viens dans mes bras!
Je reste, et resterai tant que tu le voudras.
685 Oublions-les! restons.
(Il l'assied sur un banc.)
Sieds-toi[1] sur cette pierre.
(Il se place à ses pieds.)
Des flammes de tes yeux inonde ma paupière.
Chante-moi quelque chant comme parfois le soir
Tu m'en chantais, avec des pleurs dans ton œil noir.
Soyons heureux! buvons, car la coupe est remplie,
690 Car cette heure est à nous, et le reste est folie.
Parle-moi, ravis-moi. N'est-ce pas qu'il est doux
D'aimer et de savoir qu'on vous aime à genoux?
D'être deux? d'être seuls? et que c'est douce chose
De se parler d'amour, la nuit, quand tout repose?
695 Oh! laisse-moi dormir et rêver sur ton sein.
Doña Sol! mon amour! ma beauté!
(Bruit de cloches au loin.)

DOÑA SOL, *se levant effarée.*

Le tocsin!
Entends-tu? le tocsin!

HERNANI, *toujours à genoux.*

Eh non! c'est notre noce
Qu'on sonne.
(Le bruit de cloches augmente. Cris confus, flambeaux et lumières à toutes les fenêtres, sur tous les toits, dans toutes les rues.)

DOÑA SOL

Lève-toi! fuis! Grand Dieu! Saragosse
S'allume!

HERNANI, *se soulevant à demi.*

Nous aurons une noce aux flambeaux.

---

1. *Sieds-toi* : emploi poétique du verbe simple au lieu du composé (archaïsme).

DOÑA SOL

700 C'est la noce des morts! la noce des tombeaux!
(Bruits d'épées. Cris.)

HERNANI, *se recouchant sur le banc de pierre.*

Viens dans mes bras!

UN MONTAGNARD, *l'épée à la main, accourant.*

Seigneur, les sbires[1], les alcades[2]
Débouchent dans la place en longues cavalcades!
Alerte, monseigneur!
(Hernani se lève.)

DOÑA SOL, *pâle.*

Ah! tu l'avais bien dit!

LE MONTAGNARD

Au secours!

HERNANI, *au montagnard*

Me voici. C'est bien.

CRIS CONFUS, *au dehors.*

Mort au bandit!

HERNANI, *au montagnard.*

705 Ton épée.
(A doña Sol.)
Adieu donc!

DOÑA SOL

C'est moi qui fais ta perte!
Où vas-tu?
(Lui montrant la petite porte.)
Viens! Fuyons par cette porte ouverte.

---

1. *Sbire :* agent de police; 2. *Alcade :* fonctionnaire de justice, sorte de commissaire de police.

QUESTIONS

● VERS 682-701. Le brusque revirement d'Hernani : a-t-il vraiment renoncé à se séparer de doña Sol? Comment s'explique cette espèce de rêve éveillé? — Étudiez du point de vue rythmique la tirade des v. 686-696; notez la reprise de certains mots qui scandent toute la strophe. Le contraste entre l'ampleur croissante du danger et l'attitude d'Hernani. A quelle espèce de chant peut-il faire allusion au vers 687?

HERNANI

Dieu! laisser mes amis! que dis-tu?
(Tumulte et cris.)

DOÑA SOL

Ces clameurs
Me brisent.
(Retenant Hernani.)
Souviens-toi que, si tu meurs, je meurs!

HERNANI, *la tenant embrassée.*

Un baiser!

DOÑA SOL

Mon époux! mon Hernani! mon maître!

HERNANI, *la baisant au front.*

710 Hélas! c'est le premier.

DOÑA SOL

C'est le dernier peut-être.
(Il part. Elle tombe sur le banc.)

QUESTIONS

● VERS 701-710. Quel effet produit cette fin dramatique, les cris, les lumières, l'agitation sur la scène, après le duo d'amour?

■ SUR L'ENSEMBLE DE LA SCÈNE IV. — Composition de cette scène; soulignez comment se fait le passage d'un mouvement à l'autre. Quelle place y tient le lyrisme? Comparez avec les duos d'amour de l'acte premier, scène II, de l'acte III, scène IV, et de l'acte V, scène III. Ce lyrisme est-il émouvant? Qu'y a-t-il de musical et de symphonique dans la composition même de cette scène?

— Étudiez l'entrelacement du thème du danger et de la mort avec celui de l'amour. La fougue et la lucidité chez les deux personnages.

— Étudiez tous les éléments (bruit, lumières, mouvements) qui animent la scène.

■ SUR L'ENSEMBLE DE L'ACTE II. — Étudiez la composition scénique de cet acte (don Carlos seul, don Carlos-doña Sol, don Carlos-Hernani, doña Sol-Hernani, Hernani fuyant seul).

— Montrez que, au fond, ni don Carlos ni Hernani n'ont réalisé leur rêve : partir avec doña Sol. Pourquoi Hernani, qui aurait pu se venger du roi, ne l'a-t-il pas voulu?

— Comment l'action a-t-elle progressé? Ne semble-t-on pas revenu à la même situation qu'au début du drame? Pourquoi?

ACTE III

LE VIEILLARD

LE CHATEAU DE SILVA

Dans les montagnes d'Aragon.

La galerie des portraits de la famille de Silva; grande salle, dont ces portraits, entourés de riches bordures et surmontés de couronnes ducales et d'écussons dorés, font la décoration. Au fond une haute porte gothique. Entre chaque portrait une panoplie complète, toutes ces armures de siècles différents.

SCÈNE PREMIÈRE. — DOÑA SOL, *blanche, et debout près d'une table;* DON RUY GOMEZ DE SILVA, *assis dans son grand fauteuil ducal en bois de chêne, puis* UN PAGE.

DON RUY GOMEZ

Enfin! c'est aujourd'hui! dans une heure on sera
Ma duchesse! Plus d'oncle! Et l'on m'embrassera!
Mais m'as-tu pardonné? J'avais tort, je l'avoue.
J'ai fait rougir ton front, j'ai fait pâlir ta joue.
715 J'ai soupçonné trop vite, et je n'aurais point dû
Te condamner ainsi sans avoir entendu.
Que l'apparence a tort! Injustes que nous sommes!
Certes, il étaient bien là, les deux beaux jeunes hommes!
C'est égal. Je devais n'en pas croire mes yeux.
720 Mais que veux-tu, ma pauvre enfant? quand on est vieux!

DOÑA SOL, *immobile et grave.*

Vous reparlez toujours de cela. Qui vous blâme?

DON RUY GOMEZ

Moi! j'eus tort. Je devais savoir qu'avec ton âme

QUESTIONS

■ SUR LE DÉCOR. — Étudiez chaque détail du nouveau décor. L'importance des portraits séparés les uns des autres par des panoplies, du style de l'architecture et des meubles. — L'attitude des personnages (voir l'illustration page 83).

On n'a point de galants lorsqu'on est doña Sol,
Et qu'on a dans le cœur de bon sang espagnol.

DOÑA SOL

725 Certe, il est bon et pur, monseigneur, et peut-être
On le verra bientôt.

DON RUY GOMEZ, *se levant et allant à elle.*

Écoute, on n'est pas maître
De soi-même, amoureux comme je suis de toi,
Et vieux. On est jaloux, on est méchant, pourquoi?
Parce que l'on est vieux. Parce que beauté, grâce,
730 Jeunesse, dans autrui, tout fait peur, tout menace.
Parce qu'on est jaloux des autres, et honteux
De soi. Dérision! que cet amour boiteux,
Qui vous remet au cœur tant d'ivresse et de flamme,
Ait oublié le corps en rajeunissant l'âme!
735 Quand passe un jeune pâtre — oui, c'en est là! — souvent,
Tandis que nous allons, lui chantant, moi rêvant,
Lui dans son pré vert, moi dans mes noires allées,
Souvent je dis tout bas : O mes tours crénelées,
Mon vieux donjon ducal, que je vous donnerais,
740 Oh! que je donnerais mes blés et mes forêts,
Et les vastes troupeaux qui tondent mes collines,
Mon vieux nom, mon vieux titre, et toutes mes ruines,
Et tous mes vieux aïeux qui bientôt m'attendront,
Pour sa chaumière neuve, et pour son jeune front!
745 Car ses cheveux sont noirs, car son œil reluit comme
Le tien; tu peux le voir, et dire : Ce jeune homme!
Et puis penser à moi qui suis vieux. Je le sais!
Pourtant j'ai nom Silva, mais ce n'est plus assez!
Oui, je me dis cela. Vois à quel point je t'aime!
750 Le tout[1], pour être jeune et beau, comme toi-même!
Mais à quoi vais-je ici rêver? Moi, jeune et beau?

1. [Je donnerais] *le tout.*

QUESTIONS

● VERS 711-726. Combien de temps s'est-il écoulé depuis l'acte précédent? Que nous apprend le premier vers de l'acte? L'état d'esprit du vieillard; l'effet qu'il produit : ridicule? pitié? — Essayez de découvrir, à travers le laconisme de doña Sol, ses sentiments. Que contient d'inquiétant la fin de sa réplique, au vers 726?

Phot. Lipnitzki.

« Vous reparlez toujours de cela. Qui vous blâme? » (Vers 721.)

HERNANI À LA COMÉDIE-FRANÇAISE (1952)

Don Ruy Gomez (Henri Rollan) et Doña Sol (Louise Conte).

Qui te dois de si loin devancer au tombeau!

DOÑA SOL

Qui sait?

DON RUY GOMEZ

Mais va, crois-moi, ces cavaliers frivoles
N'ont pas d'amour si grand qu'il ne s'use en paroles.
755 Qu'une fille aime et croie un de ces jouvenceaux,
Elle en meurt, il en rit. Tous ces jeunes oiseaux,
A l'aile vive et peinte, au langoureux ramage,
Ont un amour qui mue ainsi que leur plumage.
Les vieux, dont l'âge éteint la voix et les couleurs,
760 Ont l'aile plus fidèle, et, moins beaux, sont meilleurs.
Nous aimons bien. Nos pas sont lourds? nos yeux arides?
Nos fronts ridés? Au cœur on n'a jamais de rides.
Hélas! quand un vieillard aime, il faut l'épargner.
Le cœur est toujours jeune et peut toujours saigner.
765 Oh! mon amour n'est point comme un jouet de verre
Qui brille et tremble; oh! non, c'est un amour sévère,
Profond, solide, sûr, paternel, amical,
De bois de chêne ainsi que mon fauteuil ducal!
Voilà comme je t'aime, et puis je t'aime encore
770 De cent autres façons, comme on aime l'aurore,
Comme on aime les fleurs, comme on aime les cieux!
De te voir tous les jours, toi, ton pas gracieux,
Ton front pur, le beau feu de ta fière prunelle,
Je ris, et j'ai dans l'âme une fête éternelle!

QUESTIONS

● VERS 726-752. Les causes de la jalousie chez le vieillard. — Étant donné l'orgueil nobiliaire de don Ruy, que dénote son envie chimérique d'échanger ses titres et sa vieillesse contre la jeunesse et la pauvreté d'un jeune pâtre? Montrez la part de la jalousie dans ce rêve, qui n'est qu'en apparence semblable au vœu de Faust. — Étudiez du point de vue rythmique le mouvement des vers 726-744. Montrez l'importance des enjambements dans ce passage.

● VERS 753-774. Montrez que don Ruy, aux vers 753-768, rappelle Arnolphe mettant en garde Agnès contre les jeunes blondins (Molière, *l'Ecole des femmes*). Comment Victor Hugo a-t-il transfiguré par la poésie ce thème de l'amour sénile, si souvent ridicule ou odieux? Étudiez les images et le rythme. — Commentez les adjectifs du vers 767 et expliquez la maladresse de don Ruy. Quel autre aspect de don Ruy révèlent les vers 770-774?

DOÑA SOL

775 Hélas!

DON RUY GOMEZ

Et puis, vois-tu, le monde trouve beau
Lorsqu'un homme s'éteint et, lambeau par lambeau,
S'en va, lorsqu'il trébuche au marbre de la tombe,
Qu'une femme, ange pur, innocente colombe,
Veille sur lui, l'abrite, et daigne encor souffrir
780 L'inutile vieillard qui n'est bon qu'à mourir.
C'est une œuvre sacrée et qu'à bon droit on loue,
Que ce suprême effort d'un cœur qui se dévoue,
Qui console un mourant jusqu'à la fin du jour,
Et, sans aimer peut-être, a des semblants d'amour!
785 Ah! tu seras pour moi cet ange au cœur de femme
Qui du pauvre vieillard réjouit encor l'âme,
Et de ses derniers ans lui porte la moitié,
Fille par le respect et sœur par la pitié.

DOÑA SOL

Loin de me précéder, vous pourrez bien me suivre,
790 Monseigneur. Ce n'est pas une raison pour vivre
Que d'être jeune. Hélas! je vous le dis, souvent
Les vieillards sont tardifs, les jeunes vont devant,
Et leurs yeux brusquement referment leur paupière,
Comme un sépulcre ouvert dont retombe la pierre.

DON RUY GOMEZ

795 Oh! les sombres discours! Mais je vous gronderai,
Enfant! un pareil jour est joyeux et sacré.
Comment, à ce propos, quand l'heure nous appelle,
N'êtes-vous pas encor prête pour la chapelle?
Mais, vite! habillez-vous. Je compte les instants.
800 La parure de noce!

QUESTIONS

● Vers 775. Commentez le soupir de doña Sol; quel est son effet sur le vieillard; y a-t-il effectivement dialogue? Pour qui don Ruy parle-t-il?

● Vers 775-788. Quels mots dépeignent le mieux l'égoïsme de cet amour sénile? Rapprochez ce passage des vers 79-85 prononcés par Hernani. Le vieillard se fait-il des illusions sur ses chances d'être aimé (v. 784)? Les mots *fille* et *sœur* (v. 788) sont ils adroits? Les rapprocher du vers 767.

● Vers 789-800. Don Ruy Gomez est-il capable de comprendre la raison de ces *sombres discours*? Expliquez encore l'égoïsme inconscient de ce personnage, la maladresse de mots comme *enfant* (v. 796).

DOÑA SOL

Il sera toujours temps.

DON RUY GOMEZ

Non pas.
(Entre un page.)
Que veut Iaquez?

LE PAGE

Monseigneur, à la porte,
Un homme, un pèlerin, un mendiant, n'importe,
Est là qui vous demande asile.

DON RUY GOMEZ

Quel qu'il soit,
Le bonheur entre avec l'étranger qu'on reçoit.
805 Qu'il vienne. Du dehors a-t-on quelques nouvelles?
Que dit-on de ce chef de bandits infidèles
Qui remplit nos forêts de sa rébellion?

LE PAGE

C'en est fait d'Hernani[1], c'en est fait du lion[2]
De la montagne.

DOÑA SOL, *à part.*

Dieu!

DON RUY GOMEZ

Quoi?

LE PAGE

La bande est détruite.
810 Le roi, dit-on, s'est mis lui-même à leur poursuite.
La tête d'Hernani vaut mille écus du roi[3],
Pour l'instant; mais on dit qu'il est mort.

DOÑA SOL, *à part.*

Quoi! sans moi,
Hernani!

DON RUY GOMEZ

Grâce au ciel! il est mort, le rebelle!

---

1. Tantôt l'*h* d'Hernani est aspiré, tantôt muet, comme ici; 2. *Lion :* surnom populaire qui prépare le qualificatif célèbre du vers 1028; 3. *Ecu du roi :* monnaie d'or frappée par don Carlos, appelée aussi *écu de Flandre*, *réal* (c'est-à-dire « royal », d'où l'expression employée par Victor Hugo), ou encore *carolus* (du nom latinisé de don Carlos). Voir aussi v. 856.

On peut se réjouir maintenant, chère belle.
815 Allez donc vous parer, mon amour, mon orgueil!
Aujourd'hui, double fête!

DOÑA SOL, *à part.*

Oh! des habits de deuil!

(Elle sort.)

DON RUY GOMEZ, *au page.*

Fais-lui vite porter l'écrin que je lui donne.
(Il se rassied dans son fauteuil.)
Je veux la voir parée ainsi qu'une madone,
Et grâce à ses doux yeux, et grâce à mon écrin,
820 Belle à faire à genoux tomber un pèlerin.
A propos, et celui qui nous demande un gîte,
Dis-lui d'entrer, fais-lui nos excuses, cours vite.
(Le page salue et sort.)
Laisser son hôte attendre! ah! c'est mal!
(La porte du fond s'ouvre. Paraît Hernani déguisé en pèlerin. Le duc se lève et va à sa rencontre.)

SCÈNE II. — DON RUY GOMEZ, HERNANI.

(Hernani s'arrête sur le seuil de la porte.)

HERNANI

Monseigneur,

Paix et bonheur à vous!

DON RUY GOMEZ, *le saluant de la main.*

A toi paix et bonheur,

825 Mon hôte!

QUESTIONS

● VERS 801-823. Jugez l'événement qui vient interrompre la scène : son importance et son opportunité dramatiques; qu'est-ce qui nous prépare à voir apparaître Hernani et peut-être don Carlos? — Les réactions de doña Sol. — Appréciez la dernière réplique de don Ruy, aux points de vue de la vraisemblance psychologique et du comique.

■ SUR L'ENSEMBLE DE LA SCÈNE PREMIÈRE. — L'intérêt de cette scène : quel est le ton dominant? N'y a-t-il pas du pathétique, discret il est vrai? La valeur psychologique : le triomphe inespéré du vieillard amoureux; le morne désespoir de doña Sol.

— Le spectateur n'entrevoit-il cependant pas une lueur d'espoir avec l'arrivée du mystérieux pèlerin?

(Hernani entre. Le duc se rassied.)
N'es-tu pas pèlerin?

HERNANI, *s'inclinant.*

Oui.

DON RUY GOMEZ

Sans doute,
Tu viens d'Armillas[1]?

HERNANI

Non. J'ai pris une autre route.
On se battait par là.

DON RUY GOMEZ

La troupe du banni.
N'est-ce pas?

HERNANI

Je ne sais.

DON RUY GOMEZ

Le chef, le Hernani[2],
Que devient-il? Sais-tu?

HERNANI

Seigneur, quel est cet homme?

DON RUY GOMEZ

830 Tu ne le connais pas? Tant pis! la grosse somme
Ne sera point pour toi. Vois-tu, ce Hernani,
C'est un rebelle au roi, trop longtemps impuni.
Si tu vas à Madrid, tu le pourras voir pendre.

HERNANI

Je n'y vais pas.

DON RUY GOMEZ

Sa tête est à qui veut la prendre.

HERNANI, *à part.*

835 Qu'on y vienne!

DON RUY GOMEZ

Où vas-tu, bon pèlerin?

---

1. *Armillas :* village à moins de 100 km de Saragosse; 2. *Le Hernani :* voir vers 808 et la note.

HERNANI

Seigneur,

Je vais à Saragosse.

DON RUY GOMEZ

Un vœu fait en l'honneur

D'un saint? de Notre-Dame?

HERNANI

Oui, duc, de Notre-Dame.

DON RUY GOMEZ

Del Pilar[1]?

HERNANI

Del Pilar.

DON RUY GOMEZ

Il faut n'avoir point d'âme

Pour ne point acquitter les vœux qu'on fait aux saints.

840 Mais, le tien accompli, n'as-tu d'autres desseins?

Voir le Pilier, c'est là tout ce que tu désires?

HERNANI

Oui, je veux voir brûler les flambeaux et les cires,

Voir Notre-Dame, au fond du sombre corridor,

Luire en sa châsse[2] ardente avec sa chape[3] d'or,

845 Et puis m'en retourner.

DON RUY GOMEZ

Fort bien. — Ton nom, mon frère?

Je suis Ruy de Silva.

HERNANI, *hésitant.*

Mon nom?...

DON RUY GOMEZ

Tu peux le taire

Si tu veux. Nul n'a droit de le savoir ici.

Viens-tu[4] pas demander asile?

HERNANI

Oui, duc.

---

1. *Notre-Dame del Pilar :* statue vénérée de la Vierge, contre un pilier *(pilar)* de la cathédrale; 2. *Châsse :* coffret orné contenant les reliques d'un saint; 3. *Chape :* manteau ecclésiastique de cérémonie; 4. Voir vers 25 et la note.

DON RUY GOMEZ

Merci.

Sois le bienvenu. Reste, ami, ne te fais faute[1]
850 De rien. Quant à ton nom, tu te nommes mon hôte.
Qui que tu sois, c'est bien! et, sans être inquiet,
J'accueillerais Satan, si Dieu me l'envoyait.

(La porte du fond s'ouvre à deux battants. Entre doña Sol, en parure de mariée castillane du temps. Derrière elle, pages, valets, et deux femmes portant sur un coussin de velours un coffret d'argent ciselé, qu'elles vont déposer sur une table, et qui renferme un riche écrin, couronne de duchesse, bracelets, colliers, perles et brillants pêle-mêle. — Hernani, haletant et effaré, considère doña Sol avec des yeux ardents sans écouter le duc.)

SCÈNE III. — HERNANI, DON RUY GOMEZ, DOÑA SOL, PAGES, VALETS, FEMMES.

DON RUY GOMEZ, *continuant.*

Voici ma Notre-Dame à moi. L'avoir priée
Te portera bonheur.

(Il va présenter la main à doña Sol, toujours pâle et grave.)

Ma belle mariée,
855 Venez. — Quoi! pas d'anneau! pas de couronne encor!

HERNANI, *d'une voix tonnante.*

Qui veut gagner ici mille carolus[2] d'or?

(Tous se retournent étonnés. Il déchire sa robe de pèlerin, la foule aux pieds, et en sort dans son costume de montagnard.)

Je suis Hernani.

1. Ne te prive; 2. *Carolus d'or :* voir la note du vers 811; le *carolus*, frappé en France par Charles VIII, était allié d'argent.

QUESTIONS

■ SUR LA SCÈNE II. — Comique et vraisemblance : Victor Hugo ne joue-t-il pas avec ses personnages? Quel sentiment du spectateur le poète exploite-t-il ici? Expliquez l'ambiguïté des vers 842-845, en les rapprochant des vers 818 et 853-854.

— L'auteur n'intervient-il pas encore en provoquant cette rencontre avec doña Sol, revêtue en mariée castillane? Étudiez les mouvements, la figuration, la somptuosité de la robe et des bijoux de doña Sol. Le comportement d'Hernani ne prépare-t-il pas la scène suivante?

DOÑA SOL, *à part, avec joie.*

Ciel! vivant!

HERNANI, *aux valets.*

Je suis cet homme
Qu'on cherche.
(Au duc.)
Vous vouliez savoir si je me nomme
Pérez ou Diego? Non, je me nomme Hernani.
860 C'est un bien plus beau nom, c'est un nom de banni.
C'est un nom de proscrit! Vous voyez cette tête?
Elle vaut assez d'or pour payer votre fête!
(Aux valets.)
Je vous la donne à tous. Vous serez bien payés!
Prenez! liez mes mains, liez mes pieds, liez!
865 Mais non, c'est inutile, une chaîne me lie
Que je ne romprai point!

DOÑA SOL, *à part.*

Malheureuse!

DON RUY GOMEZ

Folie!
Çà, mon hôte est un fou!

HERNANI

Votre hôte est un bandit.

DOÑA SOL

Oh! ne l'écoutez pas!

HERNANI

J'ai dit ce que j'ai dit.

DON RUY GOMEZ

Mille carolus d'or! monsieur, la somme est forte,
870 Et je ne suis pas sûr de tous mes gens.

HERNANI

Qu'importe?
Tant mieux si dans le nombre il s'en trouve un qui veut.
(Aux valets.)
Livrez-moi! vendez-moi!

DON RUY GOMEZ, *s'efforçant de le faire taire.*

Taisez-vous donc! On peut
Vous prendre au mot.

HERNANI

Amis, l'occasion est belle!
Je vous dis que je suis le proscrit, le rebelle,
875 Hernani!

DON RUY GOMEZ

Taisez-vous!

HERNANI

Hernani!

DOÑA SOL, *d'une voix éteinte, à son oreille.*

Ho! tais-toi!

HERNANI, *se détournant à demi vers doña Sol.*

On se marie ici! Je veux en être, moi!
Mon épousée aussi m'attend.
(Au duc.)
Elle est moins belle
Que la vôtre, seigneur, mais n'est pas moins fidèle.
C'est la mort!
(Aux valets.)
Nul de vous ne fait un pas encor?

DOÑA SOL, *bas.*

880 Par pitié!

HERNANI, *aux valets.*

Hernani! mille carolus d'or!

DON RUY GOMEZ

C'est le démon!

HERNANI, *à un jeune valet.*

Viens, toi; tu gagneras la somme;
Riche alors, de valet tu redeviendras homme.
(Aux valets qui restent immobiles.)
Vous aussi, vous tremblez! Ai-je assez de malheur!

DON RUY GOMEZ

Frère, à toucher ta tête ils risqueraient la leur.
885 Fusses-tu Hernani, fusses-tu cent fois pire,
Pour ta vie au lieu d'or offrît-on un empire,
Mon hôte, je te dois protéger en ce lieu,
Même contre le roi, car je te tiens de Dieu.
S'il tombe un seul cheveu de ton front, que je meure!
(À doña Sol.)
890 Ma nièce, vous serez ma femme dans une heure;

Rentrez chez vous. Je vais faire armer le château,
J'en vais fermer la porte.
(Il sort. Les valets le suivent.)

HERNANI, *regardant avec désespoir sa ceinture dégarnie et désarmée.*

Oh! pas même un couteau!
(Doña Sol, après que le duc a disparu, fait quelques pas comme pour suivre ses femmes, puis s'arrête, et, dès qu'elles sont sorties, revient vers Hernani avec anxiété.)

SCÈNE IV[1]. — HERNANI, DOÑA SOL.

(Hernani considère avec un regard froid et comme inattentif l'écrin nuptial placé sur la table; puis il hoche la tête, et ses yeux s'allument.)

HERNANI

Je vous fais compliment! Plus que je ne puis dire,
La parure me charme et m'enchante, et j'admire!
(Il s'approche de l'écrin.)
895 La bague est de bon goût, la couronne me plaît,
Le collier est d'un beau travail, le bracelet
Est rare, mais cent fois, cent fois moins que la femme
Qui sous un front si pur cache ce cœur infâme!
(Examinant de nouveau le coffret).
Et qu'avez vous donné pour tout cela? Fort bien!
900 Un peu de votre amour? Mais, vraiment, c'est pour rien!
Grand Dieu! trahir ainsi! n'avoir pas honte, et vivre!
(Examinant l'écrin.)
Mais peut-être après tout c'est perle fausse et cuivre
Au lieu d'or, verre et plomb, diamants déloyaux,
Faux saphirs, faux bijoux, faux brillants, faux joyaux!
905 Ah! s'il en est ainsi, comme cette parure,

1. La censure tronqua cette scène des vers 895 à 906 et 937 à 1012.

QUESTIONS

■ SUR LA SCÈNE III. — Pourquoi Hernani se fait-il reconnaître dès le début de la scène? N'avait-il pas conseillé à doña Sol d'épouser le vieux duc? Est-il maître de ses sentiments? Étudiez les nuances de son désespoir.
— Quel principe intangible pousse don Ruy à protéger Hernani, même contre lui-même?
— L'attitude de doña Sol : pourquoi évite-t-elle de se trahir?
— N'y a-t-il pas quelque invraisemblance dans la sortie du vieux duc?

Ton cœur est faux, duchesse, et tu n'es que dorure!
(Il revient au coffret.)
Mais non, non. Tout est vrai, tout est bon, tout est beau.
Il n'oserait tromper, lui qui touche au tombeau.
Rien n'y manque.
(Il prend l'une après l'autre toutes les pièces de l'écrin.)
Colliers, brillants, pendants d'oreille,
910 Couronne de duchesse, anneau d'or... A merveille!
Grand merci de l'amour sûr, fidèle et profond!
Le précieux écrin!

DOÑA SOL

(Elle va au coffret, y fouille, et en tire un poignard.)
Vous n'allez pas au fond!
C'est le poignard qu'avec l'aide de ma patronne
Je pris au roi Carlos, lorsqu'il m'offrit un trône
915 Et que je refusai, pour vous qui m'outragez!

HERNANI, *tombant à ses pieds.*

Oh! laisse qu'à genoux dans tes yeux affligés
J'efface tous ces pleurs amers et pleins de charmes,
Et tu prendras après tout mon sang pour[1] tes larmes!

DOÑA SOL, *attendrie.*

Hernani! je vous aime et vous pardonne, et n'ai
920 Que de l'amour pour vous.

HERNANI

Elle m'a pardonné,
Et m'aime! Qui pourra faire aussi que moi-même,
Après ce que j'ai dit, je me pardonne et m'aime?
Oh! je voudrais savoir, ange au ciel réservé,
Où vous avez marché, pour baiser le pavé!

DOÑA SOL

925 Ami!

---

1. *Pour* : en compensation de.

QUESTIONS

● VERS 893-915. Le persiflage d'Hernani : ses formes, sa violence, sa progression. Pourquoi passe-t-il si vite à l'indignation directement exprimée? Expliquez *Le précieux écrin!* (v. 912). — La réponse de doña Sol : la force du vers 912 : à quelle scène fait-elle allusion (v. 913-915)? Étudiez le rôle de ce poignard aux actes II, III et IV.

HERNANI

Non, je dois t'être odieux! Mais écoute,
Dis-moi : Je t'aime! Hélas! rassure un cœur qui doute,
Dis-le moi! car souvent avec ce peu de mots
La bouche d'une femme a guéri bien des maux.

DOÑA SOL, *absorbée et sans l'entendre.*

Croire que mon amour eût si peu de mémoire!
930 Que jamais ils pourraient, tous ces hommes sans gloire,
Jusqu'à d'autres amours, plus nobles à leur gré,
Rapetisser un cœur où son nom est entré!

HERNANI

Hélas! j'ai blasphémé! Si j'étais à ta place,
Doña Sol, j'en aurais assez, je serais lasse
935 De ce fou furieux, de ce sombre insensé
Qui ne sait caresser qu'après qu'il a blessé.
Je lui dirais : Va-t'en!... Repousse-moi, repousse!
Et je te bénirai, car tu fus bonne et douce,
Car tu m'as supporté trop longtemps, car je suis
940 Mauvais, je noircirais tes jours avec mes nuits!
Car c'en est trop enfin, ton âme est belle et haute
Et pure, et si je suis méchant, est-ce ta faute?
Épouse le vieux duc, il est bon, noble, il a
Par sa mère Olmedo, par son père Alcala[1],
945 Encore un coup, sois riche avec lui, sois heureuse!
Moi, sais-tu ce que peut cette main généreuse
T'offrir de magnifique? Une dot de douleurs.
Tu pourras y choisir ou du sang ou des pleurs.
L'exil, les fers, la mort, l'effroi qui m'environne,
950 C'est là ton collier d'or, c'est ta belle couronne,
Et jamais à l'épouse un époux plein d'orgueil
N'offrit plus riche écrin de misère et de deuil!
Épouse le vieillard, te dis-je; il te mérite!

1. *Olmedo, Alcala :* Noms de deux villes espagnoles, l'une en Nouvelle-Castille, l'autre en Andalousie.

QUESTIONS

● VERS 916-932. Est-il invraisemblable qu'un mot de doña Sol suffise à calmer Hernani? Montrez que, dans tous les drames romantiques, l'amour partagé console toujours le héros des horreurs de sa destinée *(Ruy Blas, Antony, Chatterton)*, que c'est une espèce de compensation voulue par Dieu. Révélez la mobilité des sentiments chez les personnages.

Eh! qui jamais croira que ma tête proscrite
955 Aille avec ton front pur? Qui, nous voyant tous deux,
Toi calme et belle, moi violent, hasardeux[1],
Toi paisible et croissant comme une fleur à l'ombre,
Moi heurté dans l'orage à des écueils sans nombre,
Qui dira que nos sorts suivent la même loi?
960 Non. Dieu qui fait tout bien ne te fit pas pour moi.
Je n'ai nul droit d'en haut sur toi, je me résigne.
J'ai ton cœur, c'est un vol! Je le rends au plus digne.
Jamais à nos amours le ciel n'a consenti.
Si j'ai dit que c'était ton destin, j'ai menti!
965 D'ailleurs, vengeance, amour, adieu! mon jour s'achève.
Je m'en vais, inutile, avec mon double rêve,
Honteux de n'avoir pu ni punir ni charmer,
Qu'on m'ait fait pour haïr, moi qui n'ai su qu'aimer!
Pardonne-moi! fuis-moi! ce sont mes deux prières;
970 Ne les rejette pas, car ce sont les dernières.
Tu vis et je suis mort. Je ne vois pas pourquoi
Tu te ferais murer dans ma tombe avec moi.

DOÑA SOL

Ingrat!

HERNANI

Monts d'Aragon! Galice! Estramadoure[2]!
— Oh! je porte malheur à tout ce qui m'entoure! —
975 J'ai pris vos meilleurs fils pour mes droits; sans remords,
Je les ai fait combattre, et voilà qu'ils sont morts!
C'étaient les plus vaillants de la vaillante Espagne.
Ils sont morts! Ils sont tous tombés dans la montagne,
Tous sur le dos couchés[3], en braves, devant Dieu,

1. *Hasardeux* : aventureux, avec idée de risque pour lui et pour les autres;
2. Trois provinces d'Espagne, qui ont fourni ses meilleures troupes à Hernani;
3. C'était la position des anciens preux dans les épopées du Moyen Age.

QUESTIONS

● VERS 932-972. Comparez cette tirade aux propos d'Hernani à la scène IV de l'acte II : quels thèmes réapparaissent ici? Quel thème nouveau s'y ajoute? — Notez les termes qui caractérisent la frénésie du héros romantique. — Étudiez toutes les antithèses qui opposent le destin tourmenté d'Hernani à la vie *pure* et *paisible* de doña Sol. Examinez les origines sociales, psychologiques, métaphysiques de cette espèce de damnation. — Expliquez, chez Hernani, la dualité de son attitude à l'égard de doña Sol : jalousie et refus de l'entraîner à sa suite.
● VERS 972. Rapprochez la réplique de doña Sol du vers 682. Est-ce donc la même scène qui recommence?

980 Et, si leurs yeux s'ouvraient, ils verraient le ciel bleu!
Voilà ce que je fais de tout ce qui m'épouse!
Est-ce une destinée à te rendre jalouse?
Doña Sol, prends le duc, prends l'enfer, prends le roi!
C'est bien. Tout ce qui n'est pas moi vaut mieux que moi!
985 Je n'ai plus un ami qui de moi se souvienne,
Tout me quitte; il est temps qu'à la fin ton tour vienne,
Car je dois être seul. Fuis ma contagion.
Ne te fais pas d'aimer une religion!
Oh! par pitié pour toi, fuis!... Tu me crois, peut-être,
990 Un homme comme sont tous les autres, un être
Intelligent, qui court droit au but qu'il rêva.
Détrompe-toi. Je suis une force qui va!
Agent aveugle et sourd de mystères funèbres!
Une âme de malheur faite avec des ténèbres!
995 Où vais-je? je ne sais. Mais je me sens poussé
D'un souffle impétueux, d'un destin insensé.
Je descends, je descends, et jamais ne m'arrête.
Si parfois, haletant, j'ose tourner la tête,
Une voix me dit : Marche! et l'abîme est profond,
1000 Et de flamme ou de sang je le vois rouge au fond!
Cependant, à l'entour de ma course farouche,
Tout se brise, tout meurt. Malheur à qui me touche!
Oh! fuis! détourne-toi de mon chemin fatal[1],
Hélas! sans le vouloir, je te ferais du mal!

DOÑA SOL

1005 Grand Dieu!

1. *Fatal :* voulu par le destin.

QUESTIONS

● VERS 973-1004. Quel exemple précis prouve cette aptitude au malheur? Notez la souffrance d'Hernani pensant à ses compagnons de lutte : le lyrisme et l'épopée dans l'évocation des vers 973-980. — L'ordre des malheurs possibles pour doña Sol (v. 983). Que conclure de cette hiérarchie? — Les traits essentiels du caractère d'Hernani (v. 989-1004) qui font de lui le héros romantique type. Opposez les éléments rationnels *intelligent*, *droit* à ce qu'évoque l'irresponsabilité de la *force qui va* (v. 991-992). A quelle mort se croit destiné Hernani? — Étudiez dans tout ce passage les images et le rythme qui donnent à la pensée le prolongement du mystère et la poésie de l'horreur. Les éléments qui expliquent le personnage : montrez la complexité de sa situation. La volonté est-elle, chez lui, une arme efficace? La lucidité entraîne-t-elle un désir de réagir? Quelle est la place du lyrisme dans ces conditions? — D'après ce que vous savez de la vie et de la personnalité de Victor Hugo, le poète a-t-il créé son héros à son image?

HERNANI

C'est un démon redoutable, te dis-je,
Que le mien. Mon bonheur, voilà le seul prodige
Qui lui soit impossible. Et toi, c'est le bonheur!
Tu n'es donc pas pour moi, cherche un autre seigneur.
Va, si jamais le ciel à mon sort qu'il renie
1010 Souriait... n'y crois-pas! ce serait ironie!
Épouse le duc!

DOÑA SOL

Donc, ce n'était pas assez!
Vous aviez déchiré mon cœur, vous le brisez!
Ah! vous ne m'aimez plus!

HERNANI

Oh! mon cœur et mon âme
C'est toi! l'ardent foyer d'où me vient toute flamme,
1015 C'est toi! Ne m'en veux[1] pas de fuir, être adoré.

DOÑA SOL

Je ne vous en veux pas. Seulement j'en mourrai.

HERNANI

Mourir! pour qui? Pour moi? Se peut-il que tu meures
Pour si peu?

DOÑA SOL, *laissant éclater ses larmes.*

Voilà tout.
(Elle tombe sur un fauteuil.)

HERNANI, *s'asseyant près d'elle.*

Oh! tu pleures! tu pleures!
Et c'est encor ma faute! Et qui me punira?
1020 Car tu pardonneras encor! Qui te dira
Ce que je souffre au moins lorsqu'une larme noie
La flamme de tes yeux dont l'éclair est ma joie!
Oh! mes amis sont morts! Oh! je suis insensé!
Pardonne. Je voudrais aimer, je ne le sai[2].

1. *Veux :* veuille serait plus correct; 2. *Sai :* voir note du vers 282.

QUESTIONS

● VERS 1005-1011. En quoi les vers 1009-1010 préparent-ils le dénouement? Pour apprécier l'inconséquence d'Hernani, comparez le vers 1011 au vers 898.

MOUNET-SULLY DANS LE RÔLE D'HERNANI (1877)
Bibliothèque de l'Arsenal. Fonds Rondel. (Phot. Nadar.)

1025 Hélas! j'aime pourtant d'une amour bien profonde[1]!...
Ne pleure pas! mourons plutôt! Que n'ai-je un monde?
Je te le donnerais! Je suis bien malheureux!

DOÑA SOL, *se jetant à son cou.*

Vous êtes mon lion superbe et généreux!
Je vous aime.

HERNANI

Oh! l'amour serait un bien suprême
1030 Si l'on pouvait mourir de trop aimer!

DOÑA SOL

Je t'aime!
Monseigneur! je vous aime et je suis toute à vous!

HERNANI, *laissant tomber sa tête sur son épaule.*

Oh! qu'un coup de poignard de toi me serait doux!

DOÑA SOL, *suppliante.*

Ah! ne craignez-vous pas que Dieu ne vous punisse
De parler de la sorte?

HERNANI, *toujours appuyé sur son sein.*

Eh bien! qu'il nous unisse!
1035 Tu le veux. Qu'il en soit ainsi! — J'ai résisté.
(Tous deux, dans les bras l'un de l'autre, se regardent avec extase, sans voir, sans entendre, et comme absorbés dans leur regard. — Entre don Ruy Gomez par la porte du fond. Il regarde et s'arrête comme pétrifié sur le seuil.)

1. Féminin poétique, selon un usage hérité de la langue classique.

QUESTIONS

● VERS 1011-1035. Analysez les réactions de doña Sol : renonce-t-elle à Hernani? Comment accueille-t-elle le conseil d'épouser le duc? Quel est l'effet de sa simplicité (v. 1018)? — La violence de la tirade d'Hernani (v. 1018-1028) : comment résume-t-elle les sentiments qui se partagent le cœur du héros? — Doña Sol n'est-elle pas la plus forte? Hernani a-t-il vraiment résisté (v. 1035)?

■ SUR L'ENSEMBLE DE LA SCÈNE IV. — Faites le plan de la scène et marquez-en les phases. Comparez son rythme à celui de la scène IV de l'acte II : pourquoi Hernani finit-il par s'abandonner une fois encore à la volonté de doña Sol? Comparez également la situation avec celle de la scène IV de l'acte II : comment Hernani crée-t-il lui-même le destin qui le condamne à se séparer de doña Sol?

— Faites une synthèse du caractère d'Hernani d'après cette scène : quels aspects de sa personnalité se précisent ici? En quoi l'échec, que viennent de lui infliger les forces royales, influe-t-il sur son état d'âme?

SCÈNE V. — HERNANI, DOÑA SOL, DON RUY GOMEZ, *puis* UN PAGE.

DON RUY GOMEZ, *immobile et croisant les bras, sur le seuil de la porte.*

Voilà donc le paiement de l'hospitalité!

DOÑA SOL

Dieu! le duc!

(Tous deux se retournent comme réveillés en sursaut.)

DON RUY GOMEZ, *toujours immobile.*

C'est donc là mon salaire, mon hôte?
Bon seigneur, va-t'en voir si la muraille est haute,
Si la porte est bien close et l'archer dans sa tour,
1040 De ton château pour nous fais et refais le tour.
Cherche en ton arsenal une armure à ta taille,
Ressaie à soixante ans ton harnois[1] de bataille!
Voici la loyauté dont nous paierons ta foi!
Tu fais cela pour nous, et nous ceci pour toi!
1045 Saints du ciel! j'ai vécu plus de soixante années,
J'ai vu bien des bandits aux âmes effrénées,
J'ai souvent, en tirant ma dague du fourreau,
Fait lever sur mes pas des gibiers de bourreau,
J'ai vu des assassins, des monnayeurs[2], des traîtres,
1050 De faux valets à table empoisonnant leurs maîtres,
J'en ai vu qui mouraient sans croix et sans pater[3],
J'ai vu Sforce, j'ai vu Borgia, je vois Luther[4],
Mais je n'ai jamais vu perversité si haute
Qui n'eût craint le tonnerre en trahissant son hôte!
1055 Ce n'est pas de mon temps. Si noire trahison
Pétrifie un vieillard au seuil de sa maison,
Et fait que le vieux maître, en attendant qu'il tombe,
A l'air d'une statue à mettre sur sa tombe.
Maures et Castillans[5]! quel est cet homme-ci?
(Il lève les yeux et les promène sur les portraits qui entourent la salle).

---

1. *Harnois :* armure, équipage d'un homme d'armes; 2. [faux] *monnayeurs;* 3. En païens qu'ils étaient; 4. Ludovic *Sforza,* dit le More (1451-1508), tyran de Milan et empoisonneur de son neveu, trahit les Français après les avoir appelés, mais fut vaincu par Louis XII et fait prisonnier (1500). — César *Borgia,* fils naturel du pape Alexandre VI et frère de Lucrèce, fut un monstre de vices et de fourberies (voir le drame de Victor Hugo, *Lucrèce Borgia*). Livré à son ennemi, le roi d'Espagne, il s'évada et mourut en combattant (1507). — *Luther* s'était mis à prêcher la Réforme et commençait à agiter l'Allemagne; son action commença en 1517; 5. *Maures et Castillans :* invoqués ensemble, car chez les uns et les autres l'hospitalité est sacrée.

1060 O vous, tous les Silva qui m'écoutez ici,
Pardon si devant vous, pardon si ma colère
Dit l'hospitalité mauvaise conseillère!

HERNANI, *se levant.*

Duc...

DON RUY GOMEZ

Tais-toi!

(Il fait lentement trois pas dans la salle et promène de nouveau ses regards sur les portraits des Silva.)

Morts sacrés! aïeux! hommes de fer!
Qui voyez ce qui vient du ciel et de l'enfer,
1065 Dites-moi, messeigneurs, dites, quel est cet homme?
Ce n'est pas Hernani, c'est Judas qu'on le nomme!
Oh! tâchez de parler pour me dire son nom!
(Croisant les bras.)
Avez-vous de vos jours vu rien de pareil? Non!

HERNANI

Seigneur duc...

DON RUY GOMEZ, *toujours aux portraits.*

Voyez-vous? il veut parler, l'infâme!
1070 Mais, mieux encor que moi, vous lisez dans son âme.
Oh! ne l'écoutez pas! C'est un fourbe! Il prévoit
Que mon bras va sans doute ensanglanter mon toit,
Que peut-être mon cœur couve dans ses tempêtes
Quelque vengeance, sœur du festin des sept têtes[1],
1075 Il vous dira qu'il est proscrit, il vous dira
Qu'on va dire Silva comme l'on dit Lara,
Et puis qu'il est mon hôte, et puis qu'il est votre hôte...
Mes aïeux, mes seigneurs, voyez, est-ce ma faute?
Jugez entre nous deux!

HERNANI

Ruy Gomez de Silva,
1080 Si jamais vers le ciel noble front s'éleva,
Si jamais cœur fut grand, si jamais âme haute,
C'est la vôtre, seigneur! c'est la tienne, ô mon hôte!
Moi qui te parle ici, je suis coupable, et n'ai
Rien à dire, sinon que je suis bien damné.
1085 Oui, j'ai voulu te prendre et t'enlever ta femme,

1. Ruy Velasquez de Lara détestait son beau-frère. Il livra au calife Almanzor de Cordoue, chez qui celui-ci était prisonnier, les sept enfants de Lara dont les têtes furent servies en repas à leur père.

Oui, j'ai voulu souiller ton lit, oui, c'est infâme!
J'ai du sang. Tu feras très bien de le verser,
D'essuyer ton épée, et de n'y plus penser!

DOÑA SOL

Seigneur, ce n'est pas lui! Ne frappez que moi-même!

HERNANI

1090 Taisez-vous, doña Sol. Car cette heure est suprême,
Cette heure m'appartient. Je n'ai plus qu'elle. Ainsi
Laissez-moi m'expliquer avec le duc ici.
Duc, crois aux derniers mots de ma bouche; j'en jure,
Je suis coupable, mais sois tranquille, elle est pure!
1095 C'est là tout. Moi coupable, elle pure; ta foi
Pour elle, un coup d'épée ou de poignard pour moi.
Voilà. Puis fais jeter le cadavre à la porte
Et laver le plancher, si tu veux, il n'importe!

DOÑA SOL

Ah! moi seule ai tout fait. Car je l'aime.
(Don Ruy se détourne à ce mot en tressaillant et fixe sur doña Sol un regard terrible. Elle se jette à ses genoux.)
Oui, pardon!
1100 Je l'aime, Monseigneur!

DON RUY GOMEZ

Vous l'aimez!
(A Hernani.)
Tremble donc!
(Bruit de trompettes au dehors. — Entre le page.)
(Au page.)
Qu'est ce bruit?

LE PAGE

C'est le roi, monseigneur, en personne,
Avec un gros[1] d'archers et son héraut qui sonne.

DOÑA SOL

Dieu! le roi! Dernier coup!

LE PAGE, *au duc.*

Il demande pourquoi
La porte est close, et veut qu'on ouvre.

1. *Gros :* troupe importante.

DON RUY GOMEZ

Ouvrez au roi.

(Le page s'incline et sort.)

DOÑA SOL

1105 Il est perdu!

(Don Ruy Gomez va à l'un des tableaux, qui est son propre portrait, le dernier à gauche; il presse un ressort, le portrait s'ouvre comme une porte, et laisse voir une cachette pratiquée dans le mur. Il se tourne vers Hernani.)

DON RUY GOMEZ

Monsieur, entrez ici.

HERNANI

Ma tête

Est à toi. Livre-la, seigneur. Je la tiens prête.

Je suis ton prisonnier.

(Il entre dans la cachette. Don Ruy presse de nouveau le ressort, tout se referme, et le portrait revient à sa place.)

DOÑA SOL, *au duc.*

Seigneur, pitié pour lui!

LE PAGE, *entrant.*

Son Altesse[1] le roi.

(Doña Sol baisse précipitamment son voile. La porte s'ouvre à deux battants. Entre don Carlos en habit de

1. Titre officiel du roi. (Voir les vers 1379 et suivants.)

QUESTIONS

■ SUR LA SCÈNE V. — La situation au début de la scène n'est-elle pas très traditionnelle? Citez d'autres pièces, où l'on voit les amants surpris par un jaloux. Quelle particularité comporte ici cette situation, alors que don Ruy a garanti son hospitalité à Hernani?

— L'attitude de don Ruy : rapprochez sa tirade (v. 1037-1079) de celle de la scène III à l'acte premier (v. 216-274). Comprend-on maintenant pourquoi il fallait qu'au premier acte rien ne révèle à don Ruy l'identité de l'inconnu qui se trouvait chez doña Sol avec don Carlos? Pourquoi don Ruy ne songe-t-il pas plus cette fois-ci qu'au premier acte à soupçonner doña Sol de complicité avec son visiteur?

— La réponse d'Hernani (v. 1079-1098) : son aveu sincère est-il seulement destiné à sauver l'honneur de doña Sol? Montrez qu'il trouve ici la justification de son destin : importance du vers 1084.

— L'intervention de doña Sol est-elle adroite? Pourquoi fait-elle maintenant à don Ruy un aveu qu'elle avait tu jusque-là? Quelles pourraient être les conséquences de cet aveu, si le poète ne « coupait » brusquement la scène par un nouveau coup de théâtre (v. 1101)?

— Le rôle des portraits dans cette scène : que symbolisent-ils?

guerre, suivi d'une foule de gentilshommes également armés, de pertuisaniers, d'arquebusiers, d'arbalétriers.)

SCÈNE VI. — DON RUY GOMEZ, DOÑA SOL, *voilée;* DON CARLOS, SUITE.

(Don Carlos s'avance à pas lents, la main gauche sur le pommeau de son épée, la droite dans sa poitrine, et fixe sur le vieux duc un œil de défiance et de colère. Le duc va au-devant du roi et le salue profondément. — Silence. — Attente et terreur alentour. Enfin, le roi, arrivé en face du duc, lève brusquement la tête.)

DON CARLOS

D'où vient donc aujourd'hui,
Mon cousin, que ta porte est si bien verrouillée?
1110 Par les saints! je croyais ta dague plus rouillée!
Et je ne savais pas qu'elle eût hâte à ce point,
Quand nous te venons voir, de reluire à ton poing!
(Don Ruy Gomez veut parler, le roi poursuit avec un geste impérieux.)
C'est s'y prendre un peu tard pour faire le jeune homme!
Avons-nous des turbans? Serait-ce qu'on me nomme
1115 Boabdil[1] ou Mahom[2], et non Carlos, répond[3]!
Pour nous baisser la herse[4] et nous lever le pont[5]?

DON RUY GOMEZ, *s'inclinant.*

Seigneur...

DON CARLOS, *à ses gentilshommes.*

Prenez les clefs! saisissez-vous des portes!
(Deux officiers sortent. Plusieurs autres rangent les soldats en triple haie dans la salle, du roi à la grande porte. Don Carlos se retourne vers le duc.)
Ah! vous réveillez donc les rébellions mortes?
Pardieu! si vous prenez de ces airs avec moi,
1120 Messieurs les ducs, le roi prendra des airs de roi!
Et j'irai par les monts de mes mains aguerries

---

1. *Boabdil* (ou *Abou abd Allah*) : dernier roi maure de Grenade, que Ferdinand le Catholique défit et exila (1481); 2. *Mahom :* abréviation de *Mahomet*, courante au Moyen Age; 3. *Répond :* licence orthographique justifiée par la nécessité de la rime pour l'œil; les classiques ne s'y seraient pas crus autorisés; 4. *Herse :* grille de fer ou de bois, munie par le bas de fortes pointes, qu'on abaisse à volonté, à l'entrée d'une porte fortifiée, pour interdire l'accès d'un château fort; 5. *Le pont :* le pont-levis.

Dans leurs nids crénelés tuer les seigneuries!

DON RUY GOMEZ, *se redressant.*

Altesse, les Silva sont loyaux...

DON CARLOS, *l'interrompant.*

Sans détours

Réponds, duc, ou je fais raser tes onze tours!

1125 De l'incendie éteint il reste une étincelle,

Des bandits morts il reste un chef. Qui le recèle?

C'est toi! Ce Hernani, rebelle empoisonneur,

Ici, dans ton château, tu le caches!

DON RUY GOMEZ

Seigneur,

C'est vrai.

DON CARLOS

Fort bien. Je veux sa tête, — ou bien la tienne,

1130 Entends-tu, mon cousin?

DON RUY GOMEZ, *s'inclinant.*

Mais qu'à cela ne tienne,

Vous serez satisfait.

(Doña Sol cache sa tête dans ses mains et tombe.)

DON CARLOS, *radouci.*

Ah! tu t'amendes. — Va

Chercher mon prisonnier.

(Le duc croise les bras, baisse la tête et reste quelques moments rêveur. Le roi et doña Sol l'observent en silence et agités d'émotions contraires. Enfin le duc relève son front, va au roi, lui prend la main, et le mène à pas lents devant le plus ancien des portraits, celui qui commence la galerie à droite du spectateur.)

DON RUY GOMEZ, *montrant au roi le vieux portrait.*

Celui-ci, des Silva

C'est l'aîné, c'est l'aïeul, l'ancêtre, le grand homme!

QUESTIONS

● VERS 1108-1132. Les sentiments de chacun des personnages (Hernani, don Ruy, doña Sol) à l'entrée du roi. — Montrez que don Carlos parle en roi. La violence, la colère et le sarcasme dans les premiers vers. Relevez tous les éléments de couleur locale dans ce passage. — Pourquoi don Ruy reconnaît-il l'existence de son prisonnier (v. 1129)? Quel effet cet aveu produit-il sur le spectateur? L'ambiguïté de la réponse de don Ruy aux vers 1130-1131.

Don Silvius, qui fut trois fois consul de Rome.
(Passant au portrait suivant.)
1135 Voici don Galceran de Silva, l'autre Cid!
On lui garde à Toro[1], près de Valladolid,
Une châsse dorée[2] où brûlent mille cierges.
Il affranchit Léon[3] du tribut des cent vierges[4].
(Passant à un autre.)
Don Blas, qui, de lui-même et dans sa bonne foi,
1140 S'exila pour avoir mal conseillé le roi.
(A un autre.)
Christoval. Au combat d'Escalona[5], don Sanche[6],
Le roi, fuyait à pied, et sur sa plume blanche
Tous les coups s'acharnaient; il cria : Christoval!
Christoval prit la plume et donna son cheval.
(A un autre.)
1145 Don Jorge, qui paya la rançon de Ramire,[7]
Roi d'Aragon.

DON CARLOS, *croisant les bras et le regardant de la tête aux pieds.*
Pardieu! don Ruy, je vous admire!
Mon prisonnier!

DON RUY GOMEZ, *passant à un autre.*
Voici Ruy Gomez de Silva,
Grand Maître de Saint-Jacque et de Calatrava[8].
Son armure géante irait mal à nos tailles.
Il prit trois cents drapeaux, gagna trente batailles,
1150 Conquit au roi Motril, Antequera[9], Suez,
Nijar[10] et mourut pauvre. — Altesse, saluez.
(Il s'incline, se découvre, et passe à un autre. Le roi l'écoute avec une impatience et une colère toujours croissantes.)
Près de lui, Gil, son fils, cher aux âmes loyales.
Sa main pour un serment valait les mains royales.
(A un autre.)
Don Gaspard, de Mendoce et de Silva l'honneur!
1155 Toute noble maison tient à Silva, seigneur;
Sandoval tour à tour nous craint ou nous épouse,

---

1. *Toro :* ville de la province de Zamora, dans le royaume de Léon ou León; **2.** *Châsse :* voir vers 844 et la note; **3.** *Léon :* ville et royaume de ce nom, au nord-ouest de l'Espagne; **4.** Léon, à la suite d'une défaite, devait livrer chaque année aux Maures cent vierges; **5.** *Escalona :* bourg de la province de Tolède; **6.** *Don Sanche :* roi de Castille (1065-1072) sous lequel le Cid se distingua; **7.** *Ramire :* roi pendant deux ans (1035-1036), mourut en luttant contre les Maures; **8.** Ordres de chevalerie, institués au XIIe siècle; **9.** *Motril :* ville d'Andalousie; *Antequera :* ville de la province de Malaga, reprise aux Maures en 1410; **10.** *Nijar :* dans la province d'Almeria.

Manrique nous envie et Lara nous jalouse,
Alencastre[1] nous hait. Nous touchons à la fois
Du pied à tous les ducs, du front à tous les rois!

DON CARLOS, *impatienté.*

1160 Vous raillez-vous?

DON RUY GOMEZ, *allant à d'autres portraits.*

Voilà don Vasquez, dit le Sage,
Don Jayme, dit le Fort. Un jour, sur son passage,
Il arrêta Zamet[2] et cent Maures tout seul.
J'en passe et des meilleurs.
(Sur un geste de colère du roi, il passe un grand nombre de tableaux, et vient tout de suite aux trois derniers portraits à gauche du spectateur.)
Voici mon noble aïeul.
Il vécut soixante ans, gardant la foi jurée,
1165 Même aux juifs.
(A l'avant-dernier.)
Ce vieillard, cette tête sacrée,
C'est mon père. Il fut grand, quoiqu'il vînt le dernier.
Les Maures de Grenade avaient fait prisonnier
Le comte Alvar Giron, son ami. Mais mon père
1170 Prit pour l'aller chercher six cents hommes de guerre,
Il fit tailler en pierre un comte Alvar Giron
Qu'à sa suite il traîna, jurant par son patron
De ne point reculer, que le comte de pierre
Ne tournât front lui-même et n'allât en arrière.
1175 Il combattit, puis vint au comte, et le sauva.

DON CARLOS

Mon prisonnier!

DON RUY GOMEZ

C'était un Gomez de Silva.

1. *Sandoval, Manrique, Lara* (voir les vers 1074-1076 et la note), *Alencastre :* noms de grandes familles espagnoles; 2. *Zamet :* émir arabe, qui domina l'Espagne au VIIIe siècle et qui fut tué devant Toulouse en 721.

QUESTIONS

● VERS 1133-1176. L'unité de cette longue tirade. Qu'ont entre eux de commun tous les aïeux de don Ruy? Dégagez de ce passage les traits essentiels de l'épopée : générosité simple des sentiments, agrandissement légendaire des héros, évocation de combats entre deux grands peuples, couleur et sonorité typiques du vocabulaire et des noms propres, cadence mâle du rythme. En quoi s'annonce déjà ici la poésie de *la Légende des siècles?* — Les réactions du roi : sont-elles justifiées? — Mettez en relief le défaut d'un tel morceau à la représentation.

Voilà donc ce qu'on dit quand dans cette demeure
On voit tous ces héros...

DON CARLOS

Mon prisonnier sur l'heure!

DON RUY GOMEZ

(Il s'incline profondément devant le roi, lui prend la main et le mène devant le dernier portrait, celui qui sert de porte à la cachette où il a fait entrer Hernani. Doña Sol le suit des yeux avec anxiété. — Attente et silence dans l'assistance.)

Ce portrait, c'est le mien. — Roi don Carlos, merci!
1180 Car vous voulez qu'on dise en le voyant ici :
« Ce dernier, digne fils d'une race si haute,
Fut un traître et vendit la tête de son hôte! »

(Joie de doña Sol. Mouvement de stupeur dans les assistants. Le roi, déconcerté, s'éloigne avec colère, puis reste quelques instants silencieux, les lèvres tremblantes et l'œil enflammé.)

DON CARLOS

Duc, ton château me gêne et je le mettrai bas!

DON RUY GOMEZ

Car vous me la paieriez[1], Altesse, n'est-ce pas?

DON CARLOS

1185 Duc, j'en ferai raser les tours pour tant d'audace
Et je ferai semer du chanvre sur la place.

DON RUY GOMEZ

Mieux[2] voir croître du chanvre où ma tour s'éleva
Qu'une tache ronger le vieux nom de Silva.
(Aux portraits.)
N'est-il pas vrai, vous tous?

DON CARLOS

Duc, cette tête est nôtre,
1190 Et tu m'avais promis...

1. Vous me paieriez la tête de mon hôte; 2. *Mieux* [vaut].

QUESTIONS

● VERS 1177-1182. Montrez l'adresse de Victor Hugo dans les gestes qu'il attribue à don Ruy à ce moment décisif; pourquoi le dernier portrait cache-t-il justement Hernani?

DON RUY GOMEZ

J'ai promis l'une ou l'autre.

(Aux portraits.)
N'est-il pas vrai, vous tous?
(Montrant sa tête.)

Je donne celle-ci.

(Au roi.)
Prenez-la.

DON CARLOS

Duc, fort bien. Mais j'y perds, grand merci!
La tête qu'il me faut est jeune, il faut que morte
On la prenne aux cheveux. La tienne! que m'importe?
1195 Le bourreau la prendrait par les cheveux en vain.
Tu n'en as pas assez pour lui remplir la main!

DON RUY GOMEZ

Altesse, pas d'affront! Ma tête encore est belle,
Et vaut bien, que je crois, la tête d'un rebelle.
La tête d'un Silva, vous êtes dégoûté!

DON CARLOS

1200 Livre-nous Hernani!

DON RUY GOMEZ

Seigneur, en vérité,
J'ai dit.

DON CARLOS, *à sa suite.*

Fouillez partout! et qu'il ne soit point d'aile,
De cave ni de tour...

DON RUY GOMEZ

Mon donjon est fidèle
Comme moi. Seul il sait le secret avec moi.
Nous le garderons bien tous deux.

DON CARLOS

Je suis le roi!

DON RUY GOMEZ

1205 Hors que de mon château démoli pierre à pierre
On ne fasse ma tombe, on n'aura rien.

DON CARLOS

Prière,
Menace, tout est vain! Livre-moi le bandit,
Duc! ou tête et château, j'abattrai tout.

DON RUY GOMEZ

J'ai dit.

DON CARLOS

Eh bien! donc, au lieu d'une, alors j'aurai deux têtes.
(Au duc d'Alcala.)
1210 Jorge, arrêtez le duc.

DOÑA SOL, *arrachant son voile et se jetant entre le roi, le duc et les gardes.*

Roi don Carlos, vous êtes
Un mauvais roi!

DON CARLOS

Grand Dieu! que vois-je? Doña Sol!

DOÑA SOL

Altesse, tu n'as pas le cœur d'un Espagnol!

DON CARLOS, *troublé et chancelant.*

Madame, pour le roi vous êtes bien sévère.
(Il s'approche de doña Sol.)
(Bas.)
C'est vous qui m'avez mis au cœur cette colère.
1215 Un homme devient ange ou monstre en vous touchant.
Ah! quand on est haï, que vite on est méchant!
Si vous aviez voulu, peut-être, ô jeune fille,
J'étais grand, j'eusse été le lion de Castille!
Vous m'en faites le tigre avec votre courroux.
1220 Le voilà qui rugit, madame, taisez-vous!
(Doña Sol lui jette un regard. Il s'incline.)
Pourtant, j'obéirai.
(Se tournant vers le duc.)
Mon cousin, je t'estime.
Ton scrupule après tout peut sembler légitime.
Sois fidèle à ton hôte, infidèle à ton roi,
C'est bien, je te fais grâce et suis meilleur que toi.
1225 J'emmène seulement ta nièce comme otage.

QUESTIONS

● VERS 1183-1210. La vivacité haletante des répliques après la longue tirade; l'âpreté du dialogue. — Jusqu'où va la grandeur d'âme de don Ruy? Montrez que lui-même est ici un personnage d'épopée, le féodal en lutte contre son seigneur. Dans quels sentiments trouve-t-il l'énergie nécessaire pour tenir tête aux railleries et aux menaces du roi?

DON RUY GOMEZ

Seulement!

DOÑA SOL, *interdite et effrayée.*

Moi, seigneur!

DON CARLOS

Oui, vous!

DON RUY GOMEZ

Pas davantage!
O la grande clémence! ô généreux vainqueur,
Qui ménage la tête et torture le cœur!
Belle grâce!

DON CARLOS

Choisis. Doña Sol ou le traître.
1230 Il me faut l'un des deux.

DON RUY GOMEZ

Oh! vous êtes le maître!
(Don Carlos s'approche de doña Sol pour l'emmener. Elle se réfugie vers don Ruy Gomez.)

DOÑA SOL

Sauvez-moi, monseigneur!
(Elle s'arrête. — A part.)
Malheureuse, il le faut!
La tête de mon oncle ou l'autre!... Moi plutôt!
(Au roi.)
Je vous suis.

DON CARLOS, *à part.*

Par les saints! l'idée est triomphante!
Il faudra bien enfin s'adoucir, mon infante!
(Doña Sol va d'un pas grave et assuré au coffret qui renferme l'écrin, l'ouvre, et y prend le poignard, qu'elle cache dans son sein. Don Carlos vient à elle et lui présente la main.)

QUESTIONS

● VERS 1211-1236. Pourquoi doña Sol intervient-elle? Que signifient le tutoiement et le reproche du vers 1212? — Pourquoi don Carlos renonce-t-il à la capture d'Hernani? Qu'espère-t-il? — La décision de doña Sol : comment déjoue-t-elle la manœuvre de don Carlos, qu'elle a elle-même provoquée? Le projet de se sacrifier, qu'elle avait déjà au début de l'acte, prend-il maintenant une autre signification?

DON CARLOS, *à doña Sol.*

1235 Qu'emportez-vous là?

DOÑA SOL

Rien.

DON CARLOS

Un joyau précieux?

DOÑA SOL

Oui.

DON CARLOS, *souriant.*

Voyons.

DOÑA SOL

Vous verrez.

(Elle lui donne la main et se dispose à le suivre. Don Ruy Gomez, qui est resté immobile et profondément absorbé dans sa pensée, se retourne et fait quelques pas en criant.)

DON RUY GOMEZ

Doña Sol! — terre et cieux!
Doña Sol! Puisque l'homme ici n'a point d'entrailles,
A mon aide! croulez, armures et murailles!
(Il court au roi.)
Laisse-moi mon enfant! je n'ai qu'elle, ô mon roi!

DON CARLOS, *lâchant la main de doña Sol.*

1240 Alors, mon prisonnier!

(Le duc baisse la tête et semble en proie à une horrible hésitation; puis il se relève et regarde les portraits en joignant les mains vers eux.)

DON RUY GOMEZ

Ayez pitié de moi,
Vous tous!
(Il fait un pas vers la cachette; doña Sol le suit des yeux avec anxiété. Il se retourne vers les portraits.)
Oh! voilez-vous! votre regard m'arrête.
(Il s'avance en chancelant jusqu'à son portrait, puis se retourne encore vers le roi.)
Tu le veux?

DON CARLOS

Oui.

(Le duc lève en tremblant la main vers le ressort.)

DOÑA SOL

Dieu!

DON RUY GOMEZ

Non!

(Il se jette aux genoux du roi.)

Par pitié, prends ma tête!

DON CARLOS

Ta nièce!

DON RUY GOMEZ, *se relevant.*

Prends-la donc! et laisse moi l'honneur!

DON CARLOS, *saisissant la main de doña Sol tremblante.*

Adieu, duc.

DON RUY GOMEZ

Au revoir!

(Il suit de l'œil le roi, qui se retire lentement avec doña Sol, puis il met la main sur son poignard.)

Dieu vous garde, seigneur!

(Il revient sur le devant, immobile, sans plus rien voir ni entendre, l'œil fixe, les bras croisés sur sa poitrine, qui les soulève comme par des mouvements convulsifs. Cependant, le roi sort avec doña Sol, et toute la suite des seigneurs sort après lui, deux à deux, gravement et chacun à son rang. Ils se parlent à voix basse entre eux.)

DON RUY GOMEZ, *à part.*

1245 Roi, pendant que tu sors joyeux de ma demeure
Ma vieille loyauté sort de mon cœur qui pleure.

(Il lève les yeux, les promène autour de lui, et voit qu'il est seul. Il court à la muraille, détache deux épées d'une panoplie, les mesure toutes deux, puis les dépose sur une

QUESTIONS

● VERS 1236-1246. Analysez le pathétique de cette fin de scène, tout entier contenu dans des gestes ébauchés (v. 1240-1241). Quel conflit déchire alors l'âme de don Ruy?

table. Cela fait, il va au portrait, pousse le ressort, la porte cachée se rouvre.)

SCÈNE VII. — DON RUY GOMEZ, HERNANI.

DON RUY GOMEZ

Sors.
(Hernani paraît à la porte de la cachette. Don Ruy lui montre les deux épées sur la table.)
Choisis. — Don Carlos est hors de la maison.
Il s'agit maintenant de me rendre raison[1].
Choisis. Et faisons vite. — Allons donc! ta main tremble!

HERNANI

1250 Un duel[2]! Nous ne pouvons, vieillard, combattre ensemble.

DON RUY GOMEZ

Pourquoi donc? As-tu peur? N'es-tu point noble? Enfer!
Noble ou non, pour croiser le fer avec le fer,
Tout homme qui m'outrage est assez gentilhomme!

HERNANI

Vieillard...

DON RUY GOMEZ

Viens me tuer ou viens mourir, jeune homme.

HERNANI

1255 Mourir, oui. Vous m'avez sauvé malgré mes vœux.
Donc, ma vie est à vous. Reprenez-la.

---

1. *Rendre raison :* réparer l'honneur par les armes; 2. *Duel :* monosyllabe.

QUESTIONS

■ SUR L'ENSEMBLE DE LA SCÈNE VI. — Étudiez le mouvement dramatique en dégageant les différents moments de ce long épisode. — Grandeurs et faiblesses de cette scène, qui se trouve en plein centre du drame.
— Doña Sol et don Ruy défenseurs de l'honneur castillan. En quoi cette scène est-elle la plus importante pour la « moralité » de la pièce?
— Montrez que Victor Hugo a cherché à produire un pathétique violent : quels sont les réactions et les sentiments du spectateur tout au long de la scène?
— L'épopée sur le théâtre. Le réalisme de cette représentation théâtrale convient-il à l'évocation de personnages légendaires? Comparez avec l'épopée au cinéma (Eisenstein).

DON RUY GOMEZ

Tu veux?

(Aux portraits.)

Vous voyez qu'il le veut.

(A Hernani.)

C'est bon. Fais ta prière.

HERNANI

Oh! c'est à toi, seigneur, que je fais la dernière.

DON RUY GOMEZ

Parle à l'autre Seigneur.

HERNANI

Non, non, à toi! Vieillard,

1260 Frappe-moi. Tout m'est bon, dague, épée ou poignard!
Mais fais-moi, par pitié, cette suprême joie!
Duc, avant de mourir, permets que je la voie!

DON RUY GOMEZ

La voir!

HERNANI

Au moins permets que j'entende sa voix
Une dernière fois! rien qu'une seule fois!

DON RUY GOMEZ

1265 L'entendre!

HERNANI

Oh! je comprends, seigneur, ta jalousie.
Mais déjà par la mort ma jeunesse est saisie,
Pardonne-moi. Veux-tu, dis-moi, que, sans la voir,
S'il le faut, je l'entende? Et je mourrai ce soir.
L'entendre seulement! Contente mon envie!
1270 Mais, oh! qu'avec douceur j'exhalerais ma vie,
Si tu daignais vouloir qu'avant de fuir aux cieux
Mon âme allât revoir la sienne dans ses yeux!
— Je ne lui dirai rien. Tu seras là, mon père.
Tu me prendras après!

DON RUY GOMEZ, *montrant la cachette encore ouverte.*

Saints du ciel, ce repaire
1275 Est-il donc si profond, si sourd et si perdu,
Qu'il n'ait entendu rien?

HERNANI

Je n'ai rien entendu.

DON RUY GOMEZ

Il a fallu livrer doña Sol ou toi-même.

HERNANI

A qui, livrée?

DON RUY GOMEZ

Au roi.

HERNANI

Vieillard stupide! il l'aime!

DON RUY GOMEZ

Il l'aime!

HERNANI

Il nous l'enlève! il est notre rival!

DON RUY GOMEZ

1280 O malédiction! — Mes vassaux! A cheval!
A cheval! poursuivons le ravisseur!

HERNANI

Écoute.

La vengeance au pied sûr fait moins de bruit en route.
Je t'appartiens. Tu peux me tuer. Mais veux-tu
M'employer à venger ta nièce et sa vertu?
1285 Ma part dans ta vengeance! oh! fais-moi cette grâce,
Et, s'il faut embrasser tes pieds, je les embrasse!
Suivons le roi tous deux. Viens, je serai ton bras,
Je te vengerai, duc. Après, tu me tueras.

DON RUY GOMEZ

Alors, comme aujourd'hui, te laisseras-tu faire?

HERNANI

1290 Oui, duc.

DON RUY GOMEZ

Qu'en jures-tu?

HERNANI

La tête de mon père.

DON RUY GOMEZ

Voudras-tu de toi-même un jour t'en souvenir?

HERNANI, *lui présentant le cor qu'il détache de sa ceinture.*

Écoute. Prends ce cor. — Quoi qu'il puisse advenir,
Quand tu voudras, seigneur, quel que soit le lieu, l'heure,
S'il te passe à l'esprit qu'il est temps que je meure,
1295 Viens, sonne de ce cor, et ne prends d'autres soins.
Tout sera fait.

DON RUY GOMEZ, *lui tendant la main.*

Ta main.
(Ils se serrent la main. — Aux portraits.)
Vous tous, soyez témoins!

QUESTIONS

■ SUR LA SCÈNE VII. — L'honneur d'Hernani. Pourquoi refuse-t-il le duel? — Quelle est la seule chose que le jeune homme souhaite avant de mourir? N'y a-t-il pas de la faiblesse dans ce souhait de revoir doña Sol?

— Pourquoi fallait-il absolument qu'Hernani n'entende rien dans sa cachette?

— L'importance du vers 1278 pour l'action. La rapidité des réactions des deux hommes. Le serment d'Hernani : sa brusque détermination, sa solennité. Sur quoi se fonde cette alliance surprenante du vieux duc et d'Hernani?

— Pourquoi choisir le son du cor comme signal? Rappelez le prestige poétique de cet instrument dans l'inspiration romantique.

— Les derniers mots de don Ruy (vers 1296) : Montrez qu'ils rappellent le thème dominant de tout cet acte.

■ SUR L'ENSEMBLE DE L'ACTE III. — Étudiez l'action si riche en péripéties et en rebondissements. Montrez qu'elle développe exactement et précise nettement les relations des personnages les uns par rapport aux autres — ce que la révélation de l'identité de don Carlos, à la scène III de l'acte premier, avait temporairement arrêté. Dans quelle mesure la fin de l'acte relance-t-elle l'action?

— Le caractère d'Hernani : son exaltation, ses impulsions contradictoires, ses faiblesses, sa tendresse.

— Le personnage de don Ruy : aspects épiques et féodaux, caractère faible et passionné.

— Le lyrisme et l'épopée dans cet acte. Leur fusion avec l'élément dramatique; la recherche du pathétique le plus violent.

Phot. ministère espagnol du Tourisme.

En haut : ruines d'un château fort en Aragon (Calatayud).

En bas : le château de Silva, imaginé par le poète.
Dessin de Victor Hugo.

Phot. Larousse.

Phot. Larousse.

DON CARLOS INTERPRÉTÉ PAR L'ACTEUR BRESSANT (1815-1886)

ACTE IV

LE TOMBEAU

AIX-LA-CHAPELLE

Les caveaux qui renferment le tombeau de Charlemagne, à Aix-la-Chapelle[1]. *De grandes voûtes d'architecture lombarde*[2]. *Gros piliers bas, pleins cintres, chapiteaux d'oiseaux et de fleurs. — A droite, le tombeau de Charlemagne avec une petite porte de bronze, basse et cintrée. Une seule lampe suspendue à une clef de voûte en éclaire l'inscription : CAROLO MAGNO*[3]. — *Il est nuit. On ne voit pas le fond du souterrain; l'œil se perd dans les arcades, les escaliers et les piliers qui s'entrecroisent dans l'ombre.*

SCÈNE PREMIÈRE. — DON CARLOS, DON RICARDO DE ROXAS, COMTE DE CASAPALMA,

une lanterne à la main. Grands manteaux, chapeaux rabattus.

DON RICARDO, *son chapeau à la main.*

C'est ici.

DON CARLOS

C'est ici que la ligue[4] s'assemble!
Que je vais dans ma main les tenir tous ensemble!
Ah! monsieur l'électeur de Trêves[5], c'est ici!
1300 Vous leur prêtez ce lieu! Certe[6], il est bien choisi!
Un noir complot prospère à l'air des catacombes.
Il est bon d'aiguiser les stylets sur des tombes.
Pourtant, c'est jouer gros. La tête est de l'enjeu,
Messieurs les assassins! et nous verrons. — Pardieu!
1305 Ils font bien de choisir pour une telle affaire
Un sépulcre, ils auront moins de chemin à faire.
(A don Ricardo.)
Ces caveaux sous le sol s'étendent-ils bien loin?

1. L'élection impériale de 1519 eut lieu en réalité à Francfort; 2. L'*architecture lombarde*, de style roman (XIe et XIIe s.) offre des caractères à la fois de lourdeur, dans les façades, et d'une surcharge d'arcatures — souvent aveugles. Les sujets des sculptures sont fréquemment des animaux fantastiques; 3. *Carolo Magno* : Charles le Grand (Charlemagne); 4. *Ligue* : conspiration; 5. L'archevêque de Trêves avait la cathédrale d'Aix-la-Chapelle dans sa juridiction; 6. *Certe* : voir vers 496 et la note.

DON RICARDO

Jusques au château fort.

DON CARLOS

C'est plus qu'il n'est besoin[1].

DON RICARDO

D'autres, de ce côté, vont jusqu'au monastère
D'Altenheim[2]...

DON CARLOS

Où Rodolphe extermina Lothaire[3].
1310 Bien. — Une fois encor, comte, redites-moi
Les noms et les griefs, où, comment, et pourquoi.

DON RICARDO

Gotha[4].

DON CARLOS

Je sais pourquoi le brave duc conspire.
Il veut un Allemand d'Allemagne à l'Empire.

DON RICARDO

1315 Hohenbourg[5].

DON CARLOS

Hohenbourg aimerait mieux, je croi,
L'enfer avec François[6] que le ciel avec moi.

DON RICARDO

Don Gil Tellez Giron[7].

DON CARLOS

Castille et Notre-Dame!
Il se révolte donc contre son roi, l'infâme!

---

1. Pour les enterrer tous; 2. *Altenheim :* village situé sur les bords du Rhin, en pays de Bade; 3. Il s'agit peut-être de Lothaire, fils du duc provençal Hugues d'Arles, et du roi de Bourgogne Rodolphe II (mort en 937), son concurrent au trône du « royaume d'Italie »; en fait, Rodolphe II mourut avant Lothaire et l'allusion historique reste assez fantaisiste; 4. Le duc de *Saxe-Gotha*. Cette conspiration étant imaginaire, Victor Hugo y fait figurer des noms qui évoquent un peu arbitrairement la noblesse féodale d'Allemagne et d'Espagne, et il imagine les motifs personnels ou politiques de ressentiment contre don Carlos. Seul Giron (cité au vers 1317), mena une action contre Charles Quint, mais dans des circonstances bien différentes de celles de la pièce; 5. Le comte de *Hohenbourg*, ancien comté de l'empire d'Allemagne; 6. *François Ier* (voir les vers 337 à 349); 7. *Don Gil Tellez Giron* fut un animateur de la Ligue des communes formée en 1520 seulement contre Charles Quint; il y a donc anachronisme de fait, atténué par le vers suivant : Giron, espagnol, était sujet du *roi* don Carlos.

DON RICARDO

On dit qu'il vous trouva chez madame Giron
1320 Un soir que vous veniez de le faire baron.
Il veut venger l'honneur de sa tendre compagne.

DON CARLOS

C'est donc qu'il se révolte alors contre l'Espagne.
— Qui nomme-t-on encore?

DON RICARDO

On cite avec ceux-là
Le révérend Vasquez, évêque d'Avila[1].

DON CARLOS

1325 Est-ce aussi pour venger la vertu de sa femme?

DON RICARDO

Puis Guzman de Lara[2], mécontent, qui réclame
Le collier de votre ordre[3].

DON CARLOS

Ah! Guzman de Lara!
Si ce n'est qu'un collier qu'il lui faut, il l'aura.

DON RICARDO

Le duc de Lutzelbourg[4]. Quant aux plans qu'on lui prête...

DON CARLOS

1330 Le duc de Lutzelbourg est trop grand de la tête.

DON RICARDO

Juan de Haro, qui veut Astorga[5].

DON CARLOS

Ces Haro
Ont toujours fait doubler la solde du bourreau.

---

1. *Avila :* ville où se constitua la Ligue des communes; par contre, le seul Vasquez connu est Vasquez de Ayllon qui, en 1521, pendant la *conquista*, en Amérique, explora jusqu'à la Caroline du Sud. Le titre de *révérend* se donnait aux religieux; 2. *Guzman de Lara :* juxtaposition possible du nom de Lara, déjà utilisé par l'auteur dans d'autres passages d'*Hernani* (v. 1074-1076, entre autres) et de celui de Niño de Guzman, fondateur en Amérique de la Nouvelle-Galice, autour de Guadalajara, vers 1530; 3. La Toison d'or (voir v. 270); 4. *Lutzelbourg :* nom d'une localité de faible importance, aux environs de Phalsbourg; invention pure en tant que grand-duché; 5. *Juan de Haro :* un Haro négocia avec Mazarin la paix des Pyrénées (1659), première apparition de ce patronyme dans l'histoire; *Astorga :* ville de la province de León.

DON RICARDO

C'est tout.

DON CARLOS

Ce ne sont pas toutes mes têtes. Comte,
Cela ne fait que sept, et je n'ai pas mon compte.

DON RICARDO

1335 Ah! je ne nomme pas quelques bandits, gagés
Par Trève[1] ou par la France...

DON CARLOS

Hommes sans préjugés
Dont le poignard, toujours prêt à jouer son rôle,
Tourne aux plus gros écus, comme l'aiguille au pôle!

DON RICARDO

Pourtant, j'ai distingué deux hardis compagnons,
1340 Tous deux nouveaux venus. Un jeune, un vieux.

DON CARLOS

Leurs noms?
(Don Ricardo lève les épaules en signe d'ignorance.)
Leur âge?

DON RICARDO

Le plus jeune a vingt ans.

DON CARLOS

C'est dommage!

DON RICARDO

Le vieux, soixante au moins.

DON CARLOS

L'un n'a pas encor l'âge,
Et l'autre ne l'a plus. Tant pis. J'en prendrai soin.
Le bourreau peut compter sur mon aide au besoin.
1345 Ah! loin que mon épée aux factions[2] soit douce,
Je la lui prêterai si sa hache s'émousse,
Comte, et pour l'élargir, je coudrai, s'il le faut,

---

1. *Trève :* voir vers 1299 et la note. Pour l'orthographe, voir une licence du même genre v. 317; 2. *Faction :* association en vue d'une action politique violente (rapprochez de *factieux*).

Ma pourpre impériale au drap de l'échafaud.
Mais serai-je empereur seulement?

DON RICARDO

Le collège,[1]
1350 A cette heure assemblé, délibère.

DON CARLOS

Que sais-je?
Ils nommeront François premier, ou leur Saxon,
Leur Frédéric le Sage[2]!... Ah! Luther a raison,
Tout va mal!... Beaux faiseurs de majestés sacrées[3]!
N'acceptant pour raisons que les raisons dorées!
1355 Un Saxon hérétique! un comte palatin
Imbécile! un primat[4] de Trèves libertin!
Quant au roi de Bohême, il est pour moi. Des princes
De Hesse, plus petits encor que leurs provinces!
De jeunes idiots! des vieillards débauchés!
1360 Des couronnes, fort bien! mais des têtes? cherchez!
Des nains! que je pourrais, concile ridicule,
Dans ma peau de lion emporter comme Hercule[5]!
Et qui, démaillotés du manteau violet[6],
Auraient la tête encor de moins que Triboulet[7]!...
1365 Il me manque trois voix, Ricardo! tout me manque!
Oh! je donnerais Gand, Tolède et Salamanque,
Mon ami Ricardo, trois villes à leur choix,
Pour trois voix, s'ils voulaient! Vois-tu, pour ces trois voix,
Oui, trois de mes cités de Castille ou de Flandre,
1370 Je les donnerais! — sauf, plus tard, à les reprendre!
(Don Ricardo salue profondément le roi, et met son chapeau sur sa tête.)
Vous vous couvrez?

DON RICARDO

Seigneur, vous m'avez tutoyé[8],

---

1. *Collège :* l'assemblée des sept Grands Électeurs (archevêques de Cologne, de Mayence et de Trêves; roi de Bohême; duc de Saxe; margrave de Brandebourg, comte palatin); 2. Frédéric III le Sage, duc de Saxe (1463-1525), également candidat (voir v. 297), qui soutiendra les réformateurs religieux Mélanchton et Luther; d'où l'épithète d'*hérétique* du vers 1355, prématurée puisque le pape n'excommuniera Luther que l'année suivante; 3. *Majesté sacrée :* titre officiel de l'Empereur; 4. *Primat :* archevêque supérieur aux autres, à l'intérieur d'un même état ou d'une même région; 5. Peau du lion de Némée qui servait à Hercule de manteau et de bouclier; 6. *Manteau violet :* attribut des électeurs; 7. *Triboulet :* fou de François Ier (cf. *Le roi s'amuse*, de V. Hugo); 8. Le tutoiement et le fait de rester couvert devant le roi étaient les privilèges des seuls grands d'Espagne.

(Saluant de nouveau.)
Me voilà grand d'Espagne.

DON CARLOS, *à part.*

Ah! tu me fais pitié,
Ambitieux de rien! Engeance[1] intéressée!
Comme à travers la nôtre ils suivent leur pensée!
1375 Basse-cour où le roi, mendié sans pudeur,
A tous ces affamés émiette la grandeur[2]!
(Rêvant.)
Dieu seul et l'empereur sont grands! — et le saint-père!
Le reste, rois et ducs! qu'est cela?

DON RICARDO

Moi, j'espère
Qu'ils prendront Votre Altesse.

DON CARLOS, *à part.*

Altesse[3]! Altesse, moi?
1380 J'ai du malheur en tout. — S'il fallait rester roi!

DON RICARDO, *à part.*

Baste[4]! empereur ou non, me voilà grand d'Espagne.

DON CARLOS

Sitôt qu'ils auront fait l'empereur d'Allemagne,
Quel signal à la ville annoncera son nom?

DON RICARDO

Si c'est le duc de Saxe, un seul coup de canon.
1385 Deux, si c'est le Français. Trois, si c'est Votre Altesse.

DON CARLOS

Et cette doña Sol! Tout m'irrite et me blesse!
Comte, si je suis fait empereur, par hasard,
Cours la chercher. Peut-être on voudra d'un César[5]!

DON RICARDO, *souriant.*

Votre Altesse est bien bonne!

---

1. *Engeance :* race, au sens péjoratif; à l'origine, le mot s'emploie pour des volatiles, ce qui appelle le jeu de mots du vers 1375 *(basse-cour)*; 2. La censure avait supprimé ces deux vers; 3. *Altesse :* titre donné au roi, par opposition à *Majesté très sacrée*, titre de l'Empereur (voir vers 1680); 4. *Baste! :* assez!; 5. *Peut-être* doña Sol acceptera-t-elle les hommages d'un empereur.

DON CARLOS, *l'interrompant avec hauteur.*

Ah! là-dessus, silence!
1390 Je n'ai point dit encor ce que je veux qu'on pense.
Quand saura-t-on le nom de l'élu?

DON RICARDO

Mais, je crois,
Dans une heure au plus tard.

DON CARLOS

Oh! trois voix! rien que trois!...
Mais écrasons d'abord ce ramas[1] qui conspire,
Et nous verrons après à qui sera l'empire.
(Il compte sur ses doigts et frappe du pied.)
1395 Toujours trois voix de moins! Ah! ce sont eux qui l'ont!
Ce Corneille Agrippa[2] pourtant en sait bien long!
Dans l'océan céleste il a vu treize étoiles
Vers la mienne du nord venir à pleines voiles.
J'aurai l'empire, allons!... Mais, d'autre part, on dit
1400 Que l'abbé Jean Trithème[3] à François l'a prédit...
J'aurais dû, pour mieux voir ma fortune[4] éclaircie,
Avec quelque armement aider la prophétie!
Toutes prédictions du sorcier le plus fin
Viennent bien mieux à terme et font meilleure fin
1405 Quand une bonne armée, avec canons et piques,
Gens de pied, de cheval, fanfares et musiques,
Prête à montrer la route au sort qui veut broncher,
Leur sert de sage-femme et les fait accoucher.
Lequel vaut mieux, Corneille Agrippa? Jean Trithème?
1410 Celui dont une armée explique le système,
Qui met un fer de lance au bout de ce qu'il dit,
Et compte maint soudard, lansquenet ou bandit[5],
Dont l'estoc[6] refaisant la fortune imparfaite,
Taille l'événement au plaisir du prophète[7].

---

1. *Ramas :* ramassis; 2. *Corneille Agrippa :* médecin, astrologue et magicien (1486-1535). Il sera historiographe de Charles Quint; 3. *Jean Trithème :* savant théologien et historien, qui fut astrologue, dit-on, de François Ier; 4. *Fortune :* destinée; 5. *Soudard :* soldat (sens du XVIe s.); *lansquenet :* mercenaire allemand (Landsknecht); *bandit :* membre d'une bande (sans nuance péjorative); 6. *Estoc :* longue épée droite; 7. *Prophète :* diseur de bonne aventure.

1415 Pauvres fous! qui, l'œil fier, le front haut, visent droit
A l'empire du monde et disent : J'ai mon droit.
Ils ont force canons, rangés en longues files,
Dont le souffle embrasé ferait fondre des villes,
Ils ont vaisseaux, soldats, chevaux, et vous croyez
1420 Qu'ils vont marcher au but sur les peuples broyés...
Baste[1]! au grand carrefour de la fortune humaine,
Qui mieux encor qu'au trône à l'abîme nous mène,
A peine ils font trois pas, qu'indécis, incertains,
Tâchant en vain de lire au livre des destins,
1425 Ils hésitent, peu sûrs d'eux-même[2], et, dans le doute,
Au nécromant[3] du coin vont demander leur route[4]!
(A don Ricardo.)
Va-t'en. C'est l'heure où vont venir les conjurés.
Ah! la clef du tombeau?

DON RICARDO, *remettant une clef au roi.*

Seigneur, vous songerez
Au comte de Limbourg, gardien capitulaire[5],
1430 Qui me l'a confiée et fait tout pour vous plaire.

DON CARLOS, *le congédiant.*

Fais tout ce que j'ai dit! tout!

DON RICARDO, *s'inclinant.*

J'y vais de ce pas,
Altesse!

DON CARLOS

Il faut trois coups de canon, n'est-ce pas?
(Don Ricardo s'incline et sort.)

(Don Carlos, resté seul, tombe dans une profonde rêverie. Ses bras se croisent, sa tête fléchit sur sa poitrine; puis il se relève et se tourne vers le tombeau.)

---

1. *Baste! :* voir vers 1381 et la note; 2. *Eux-même :* hardiesse orthographique nécessaire ici pour des raisons de prosodie; 3. *Nécromant :* qui évoque les morts pour connaître l'avenir; 4. Toute cette tirade (v. 1395-1426) fut supprimée par la censure; 5. *Gardien capitulaire :* gardien désigné par le « chapitre » de la cathédrale dont dépend le tombeau de Charlemagne.

QUESTIONS

■ SUR LA SCÈNE PREMIÈRE. — voir page 127.

SCÈNE II. — DON CARLOS, *seul.*

Charlemagne, pardon! ces voûtes solitaires
Ne devraient répéter que paroles austères.
1435 Tu t'indignes sans doute à ce bourdonnement
Que nos ambitions font sur ton monument...
Charlemagne est ici! Comment, sépulcre sombre,
Peux-tu sans éclater contenir si grande ombre?
Es-tu bien là, géant d'un monde créateur[1],
1440 Et t'y peux-tu coucher de toute ta hauteur?...
Ah! c'est un beau spectacle à ravir la pensée
Que l'Europe ainsi faite et comme il l'a laissée!
Un édifice, avec deux hommes au sommet,
Deux chefs élus auxquels tout roi né[2] se soumet.
1445 Presque tous les états, duchés, fiefs militaires[3],

1. Inversion : créateur d'un monde; 2. *Roi né :* c'est-à-dire héréditaire par opposition au pape et à l'empereur, élus; 3. *Fief militaire :* terre obtenue d'un seigneur et assortie d'obligations militaires.

QUESTIONS

■ SUR LA SCÈNE PREMIÈRE. — Le décor, son pittoresque grandiose; son mystère inquiétant; montrez en quoi la couleur locale et historique est rappelée tout le long de la scène. Pourquoi avoir choisi Aix-la-Chapelle et non Francfort, où se déroula effectivement l'élection?

— La composition de cette scène : l'habile utilisation du dialogue pour mettre le spectateur au courant d'une situation complexe. Qu'est-ce que l'imagination du poète ajoute aux données de l'histoire?

— La conjuration : les motifs de chaque conspirateur : la variété dans cette évocation. L'attitude de don Carlos à leur égard; la part de sévérité et celle de l'humour : pourquoi Hugo insiste-t-il tellement sur la soif de vengeance du roi?

— Deux formes d'ambition. Caractérisez celle de don Ricardo : comparez les vers 1370-1376 aux vers 441-444.

— L'ambition de don Carlos : montrez son anxiété; comment s'exprime son impatience du pouvoir? Son attitude à l'égard de l'astrologie; en quoi l'importance accordée aux horoscopes fait-elle partie de la couleur historique? La tentation d'aider le destin : à quel grand théoricien politique italien de l'époque (fin XVe et début XVIe s.) fait-elle penser? Don Carlos n'est-il pas sollicité par cette voie? Montrez-le.

— En quoi cette scène se rattache-t-elle à l'acte précédent? Le spectateur devine-t-il qui sont le jeune et le vieux conjurés aux noms inconnus? Pourquoi faut-il que don Carlos ne songe même pas à les identifier? En quoi annonce-t-elle la suite, et particulièrement la métamorphose psychologique de don Carlos?

● VERS 1433-1440. Dégagez la double antithèse : la grandeur de Charlemagne et la médiocrité des ambitions actuelles. — ou la petitesse de la tombe.

Royaumes, marquisats, tous sont héréditaires;
Mais le peuple a parfois son pape ou son césar.
Tout marche, et le hasard corrige le hasard.
De là vient l'équilibre, et toujours l'ordre éclate.
1450 Électeurs de drap d'or[1], cardinaux d'écarlate,
Double sénat sacré dont la terre s'émeut,
Ne sont là qu'en parade, et Dieu veut ce qu'il veut.
Qu'une idée au[2] besoin des temps un jour éclose[3],
Elle grandit, va, court, se mêle à toute chose,
1455 Se fait homme, saisit les cœurs, creuse un sillon;
Maint roi la foule aux pieds ou lui met un bâillon;
Mais qu'elle entre un matin à la diète[4], au conclave[5],
Et tous les rois soudain verront l'idée esclave,
Sur leurs têtes de rois que ses pieds courberont,
1460 Surgir, le globe[6] en main ou la tiare au front.
Le pape et l'empereur sont tout. Rien n'est sur terre
Que pour eux et par eux. Un suprême mystère
Vit en eux, et le ciel, dont ils ont tous les droits,
Leur fait un grand festin des peuples et des rois,
1465 Et les tient sous sa nue, où son tonnerre gronde,
Seuls, assis à la table où Dieu leur sert le monde.
Tête à tête, ils sont là, réglant et retranchant,
Arrangeant l'univers comme un faucheur son champ.
Tout se passe entre eux deux. Les rois sont à la porte,
1470 Respirant la vapeur des mets que l'on apporte,
Regardant à la vitre, attentifs, ennuyés,
Et se haussant, pour voir, sur la pointe des pieds.
Le monde au-dessous d'eux s'échelonne et se groupe.
Ils font et défont. L'un délie[7] et l'autre coupe.
1475 L'un est la vérité, l'autre est la force. Ils ont
Leur raison en eux-même, et sont parce qu'ils sont.
Quand ils sortent, tous deux égaux, du sanctuaire,
L'un dans sa pourpre, et l'autre avec son blanc suaire[8],
L'univers ébloui contemple avec terreur

---

1. Manteau violet, brodé de drap d'or, des électeurs; **2.** *Au :* selon le; **3.** Subjonctif; **4.** La *diète* de l'Empire convoquée par l'Empereur réunissait, outre le collège des Électeurs, celui des princes et celui des villes; **5.** *Conclave :* réunion des cardinaux pour l'élection du pape; **6.** *Globe :* attribut impérial; comme la *tiare :* attribut du pape; **7.** Le pape, héritier de saint Pierre, avait le pouvoir d'absoudre des péchés, selon l'Évangile : « Ce que vous délierez sur la terre sera délié dans le Ciel. » L'empereur, armé de l'épée, tranche; **8.** Tandis que l'empereur a conservé la *pourpre* des Césars, le pape est vêtu d'une soutane *blanche*.

Phot. Lipnitzki.

« Charlemagne, pardon... » (Vers 1433.)

DÉCOR DU IVe ACTE À LA COMÉDIE-FRANÇAISE (1952)

Don Carlos devant le tombeau de Charlemagne.

1480 Ces deux moitiés de Dieu, le pape et l'empereur.
— L'empereur! l'empereur! être empereur! — O rage,
Ne pas l'être[1]! et sentir son cœur plein de courage! —
Qu'il fut heureux celui qui dort dans ce tombeau!
Qu'il fut grand! De son temps, c'était encor plus beau.
1485 Le pape et l'empereur! ce n'était plus deux hommes.
Pierre et César! en eux accouplant les deux Romes,
Fécondant l'une et l'autre en un mystique hymen,
Redonnant une forme, une âme au genre humain,
Faisant refondre en bloc peuples et, pêle-mêle,
1490 Royaumes, pour en faire une Europe nouvelle,
Et tous deux remettant au moule de leur main
Le bronze qui restait du vieux monde romain!
Oh! quel destin!... Pourtant cette tombe est la sienne!
Tout est-il donc si peu que ce soit là qu'on vienne?
1495 Quoi donc! avoir été prince, empereur et roi!
Avoir été l'épée, avoir été la loi!
Géant, pour piédestal avoir eu l'Allemagne!
Quoi! pour titre césar et pour nom Charlemagne!
Avoir été plus grand qu'Annibal, qu'Attila,
1500 Aussi grand que le monde!... et que tout tienne là!
Ah! briguez donc l'empire, et voyez la poussière
Que fait un empereur[2]! Couvrez la terre entière
De bruit et de tumulte; élevez, bâtissez
Votre empire, et jamais ne dites : C'est assez!
1505 Taillez à larges pans un édifice immense!
Savez-vous ce qu'un jour il en reste? O démence!
Cette pierre! Et du titre et du nom triomphants?

1. Souvenir d'*Hamlet* : « Être ou ne pas être. »; 2. Souvenir de Juvénal (*Satires*, X, 147-148) : « Pesez la cendre d'Hannibal. Combien de livres trouverez-vous à ce général fameux? ».

QUESTIONS

● VERS 1441-1493. Dégagez l'idée générale de ce passage. Comment l'imagination du poète donne-t-elle vie à la conception médiévale du partage de l'univers entre le pouvoir spirituel et le pouvoir temporel? — Quels sont les rapports exacts qui unissent le peuple à l'Empereur? Les sentiments de don Carlos à l'égard des rois : son mépris de l'hérédité, eu égard au caractère du personnage et à l' « interventionnisme » qu'il paraît professer en politique. Expliquez les vers 1447-1448. Comment, sans être jamais cité, le souvenir de Napoléon donne-t-il à cette tirade une sorte de prolongement dans l'histoire moderne? — Relevez dans ces vers les formules lapidaires, les images grandioses ou familières qui donnent un prolongement épique au monologue, la grandeur du rythme.

Quelques lettres à faire épeler des enfants!
Si haut que soit le but où votre orgueil aspire,
1510 Voilà le dernier terme!... Oh! l'empire! l'empire!
Que m'importe! J'y touche, et le trouve à mon gré.
Quelque chose me dit : Tu l'auras!... Je l'aurai...
Si je l'avais!... O Ciel! être ce qui commence!
Seul, debout, au plus haut de la spirale immense!
1515 D'une foule d'États l'un sur l'autre étagés
Etre la clef de voûte, et voir sous soi rangés
Les rois, et sur leur tête essuyer ses sandales;
Voir au-dessous des rois les maisons féodales,
Margraves[1], cardinaux, doges[2], ducs à fleurons[3];
1520 Puis évêques, abbés, chefs de clans[4], hauts barons[5]!
Puis clercs[6] et soldats; puis, loin du faîte où nous sommes,
Dans l'ombre, tout au fond de l'abîme, — les hommes.
Les hommes! c'est-à-dire une foule, une mer,
Un grand bruit, pleurs et cris, parfois un rire amer,
1525 Plainte qui, réveillant la terre qui s'effare,
A travers tant d'échos nous arrive fanfare!
Les hommes!... Des cités, des tours, un vaste essaim
De hauts clochers d'église à sonner le tocsin!...
(Rêvant.)
Base de nations portant sur leurs épaules
1530 La pyramide énorme appuyée aux deux pôles,
Flots vivants, qui toujours l'étreignant de leurs plis.
La balancent, branlante, à leur vaste roulis.
Font tout changer de place et, sur ses hautes zones,
Comme des escabeaux font chanceler les trônes,
1535 Si bien que tous les rois, cessant leurs vains débats,
Lèvent les yeux au ciel... Rois! regardez en bas!
— Ah! le peuple! — océan! — onde sans cesse émue[7],

1. *Margrave :* comte d'une marche-frontière de l'Empire; 2. *Doge :* duc élu de Venise ou de Gênes; 3. *Fleurons :* ornements en forme de fleurs sur les couronnes ducales; 4. *Clan :* ancien groupement de familles écossaises, sous l'autorité d'un chef héréditaire; 5. *Hauts barons :* tous les « hauts seigneurs », du marquis au baron; 6. *Clercs :* ecclésiastiques, ici opposés aux *soldats*, symbolisant le pouvoir temporel de l'empereur; 7. *Émue :* agitée (sens premier).

QUESTIONS

● VERS 1493-1510. Étudiez les antithèses, les formules réalistes, la symphonie rythmique que contient cette méditation sur la mort. Quel thème traditionnel sur ce sujet le poète reprend-il ici?

● VERS 1510-1513. Retour à l'idée exprimée au vers 1481. Importance dramatique de ce leitmotiv. Par quelle association d'idée cette obsession ressurgit-elle?

Où l'on ne jette rien sans que tout ne remue!
Vague qui broie un trône et qui berce un tombeau[1]!
1540 Miroir où rarement un roi se voit en beau!
Ah! si l'on regardait parfois dans ce flot sombre,
On y verrait au fond des empires sans nombre,
Grands vaisseaux naufragés, que son flux et reflux
Roule, et qui le gênaient, et qu'il ne connaît plus!...
1545 Gouverner tout cela! Monter, si l'on vous nomme,
A ce faîte! Y monter, sachant qu'on n'est qu'un homme!
Avoir l'abîme là!... Pourvu qu'en ce moment
Il n'aille pas me prendre un éblouissement!
Oh! d'états et de rois mouvante pyramide,
1550 Ton faîte est bien étroit! Malheur au pied timide!
A qui me retiendrai-je? Oh! si j'allais faillir
En sentant sous mes pieds le monde tressaillir!
En sentant vivre, sourdre et palpiter la terre!...
Puis, quand j'aurai ce globe[2] entre mes mains, qu'en faire?
1555 Le pourrai-je porter seulement? Qu'ai-je en moi?
Être empereur, mon Dieu! j'avais trop d'être roi!
Certe, il n'est qu'un mortel de race peu commune
Dont puisse s'élargir l'âme avec la fortune.
Mais, moi! qui me fera grand? qui sera ma loi?
1560 Qui me conseillera?

(Il tombe à deux genoux devant le tombeau.)

Charlemagne! c'est toi!
Ah! puisque Dieu, pour qui tout obstacle s'efface,
Prend nos deux majestés et les met face à face,

---

1. Peut-être est-ce une allusion à Napoléon, dont le tombeau était encore à Sainte-Hélène; **2.** *Globe :* voir vers 1460 et la note.

QUESTIONS

● Vers 1513-1560. Les éléments de cette très belle évocation de la pyramide humaine : montrez, par une étude précise, que Victor Hugo suit cette image pendant ces cinquante vers. Quel vers de la première partie de la tirade amorçait cette image? D'après le vers 1514, sous quelle forme le poète voit-il la pyramide humaine? — Le grand symbole des vers 1537-1544 : connaissez-vous d'autres œuvres de Victor Hugo où il reparaîtra? Pourquoi est-il naturel qu'après cette évocation don Carlos s'adresse à Charlemagne? — Pourquoi la mer des hommes peut-elle faire sombrer la pyramide (v. 1529-1536)? Précisez les allusions à la Révolution; pourquoi la situation est-elle plus inconfortable à mesure qu'on se rapproche du sommet?

Verse-moi dans le cœur, du fond de ce tombeau,
Quelque chose de grand, de sublime et de beau!
1565 Oh! par tous ses côtés fais-moi voir toute chose,
Montre-moi que le monde est petit, car je n'ose
Y toucher. Montre-moi que sur cette Babel[1]
Qui, du pâtre à César, va montant jusqu'au ciel,
Chacun en son degré se complaît et s'admire,
1570 Voit l'autre par-dessous et se retient d'en rire.
Apprends-moi tes secrets de vaincre et de régner,
Et dis-moi qu'il vaut mieux punir que pardonner!
N'est-ce pas?... S'il est vrai qu'en son lit solitaire
Parfois une grande ombre au bruit que fait la terre
1575 S'éveille, et que soudain son tombeau large et clair
S'entrouvre, et dans la nuit jette au monde un éclair,
Si cette chose est vraie, empereur d'Allemagne,
Oh! dis-moi ce qu'on peut faire après Charlemagne!
Parle! dût en parlant ton souffle souverain
1580 Me briser sur le front cette porte d'airain!
Ou plutôt, laisse-moi seul dans ton sanctuaire
Entrer, laisse-moi voir ta face mortuaire,
Ne me repousse pas d'un souffle d'aquilons[2],
Sur ton chevet de pierre accoude-toi. Parlons.
1585 Oui, dusses-tu me dire, avec ta voix fatale,
De ces choses qui font l'œil sombre et le front pâle!
Parle, et n'aveugle pas ton fils épouvanté,
Car ta tombe sans doute est pleine de clarté!
Ou, si tu ne dis rien, laisse en ta paix profonde
1590 Carlos étudier ta tête comme un monde[3];
Laisse qu'il te mesure à loisir, ô géant,
Car rien n'est ici-bas si grand que ton néant!
Que la cendre, à défaut de l'ombre[4], me conseille!

(Il approche la clef de la serrure.)

Entrons.

(Il recule.)

---

1. *Babel :* il s'agit de la tour que, selon la Genèse, les descendants de Noé construisirent pour escalader le ciel, en Mésopotamie (*Babel* et *Babylone* sont synonymes); cette tour était le symbole de l'orgueil humain, que Dieu punit par la confusion des langues. Le poète enrichit ce symbole en faisant aussi de Babel une sorte de pyramide représentant la hiérarchie sociale; **2.** *Aquilons :* vents froids du Nord, **3.** Allusion possible à la phrénologie, introduite par le médecin allemand Gall, et qui permettait, croyait-on, de définir les données du caractère d'après la forme du crâne (bosses, dépressions). Balzac participa à cet engouement pour cette science nouvelle; **4.** *Ombre :* fantôme.

Dieu! S'il allait me parler à l'oreille!
1595 S'il était là, debout et marchant à pas lents!
Si j'allais ressortir avec des cheveux blancs!
Entrons toujours!
(Bruit de pas.)
On vient. Qui donc ose à cette heure,
Hors moi, d'un pareil mort éveiller la demeure?
Qui donc?
(Le bruit s'approche.)
Ah! j'oubliais! ce sont mes assassins.
1600 Entrons!
(Il ouvre la porte du tombeau qu'il referme sur lui. — Entrent plusieurs hommes marchant à pas sourds, cachés sous leurs manteaux et leurs chapeaux.)

QUESTIONS

● Vers 1560-1600. Quels conseils don Carlos demande-t-il à Charlemagne? Commentez *grand*, *sublime*, *beau* (v. 1564). Notez l'importance du vers 1572. A quelle préoccupation particulière se rattache-t-il? Comparez avec Auguste dans *Cinna*, de Corneille. — Relevez les images qui donnent un prolongement épique et fantastique à la fin du monologue; étudiez la valeur évocatrice du rythme. Quel est le sens profond de *j'oubliais!*, au vers 1599?

■ Sur l'ensemble de la scène II. — Composition de ce monologue.

— L'évocation de Charlemagne. Montrez son importance, l'à-propos avec lequel elle surgit ou s'efface. Son association avec l'idée de domination du monde et avec l'idée de mort. L'empereur médiéval apparaît-il dans d'autres œuvres de Victor Hugo, ou d'autres poètes romantiques? Rapprochez ce fait de la place privilégiée du mythe napoléonien chez Victor Hugo.

— Montrez l'organisation du passage qui évoque l'Europe de Charlemagne.

— L'ambition et la crainte d'échouer ou de ne pas être élu chez don Carlos : son importance psychologique; la manière dont ces sentiments viennent interrompre la méditation.

— La part des préoccupations personnelles de l'auteur dans cette méditation. Peut-on y découvrir un écho des idées politiques de Victor Hugo en 1830?

— Ce monologue de 163 vers dépasse par son ampleur n'importe quel monologue d'une tragédie classique : doit-on s'étonner que l'auteur de la *Préface de Cromwell*, qui a condamné tous les artifices de la tragédie, ait recours au monologue? En use-t-il de la même façon que les classiques?

SCÈNE III. — LES CONJURÉS.

(Ils vont les uns aux autres, en se prenant la main et en échangeant quelques paroles à voix basse.)

PREMIER CONJURÉ, *portant seul une torche allumée.*

Ad augusta.

DEUXIÈME CONJURÉ

Per angusta[1].

PREMIER CONJURÉ

Les saints

Nous protègent[2].

TROISIÈME CONJURÉ

Les morts nous servent.

PREMIER CONJURÉ

Dieu nous garde.

(Bruit de pas dans l'ombre.)

DEUXIÈME CONJURÉ

Qui vive?

VOIX DANS L'OMBRE

Ad augusta.

DEUXIÈME CONJURÉ

Per angusta.

(Entrent de nouveaux conjurés. — Bruit de pas.)

PREMIER CONJURÉ, *au troisième.*

Regarde :

Il vient encor quelqu'un.

TROISIÈME CONJURÉ

Qui vive?

VOIX DANS L'OMBRE

Ad augusta.

---

1. *Ad augusta per angusta* (mot de passe des conjurés) : « Aux cimes par les défilés »; cette habile formule a aussi une signification symbolique; 2. Cette formule comme les deux suivantes représente des souhaits exprimés au subjonctif.

TROISIÈME CONJURÉ

Per angusta.

(Entrent de nouveaux conjurés, qui échangent des signes de main avec tous les autres.)

PREMIER CONJURÉ

C'est bien, nous voilà tous. — Gotha,

1605 Fais le rapport. — Amis, l'ombre attend la lumière.

(Tous les conjurés s'asseyent en demi-cercle sur des tombeaux. Le premier conjuré passe tour à tour devant tous, et chacun allume à sa torche une cire qu'il tient à la main. Puis le premier conjuré va s'asseoir en silence sur une tombe, au centre du cercle et plus haute que les autres.)

LE DUC DE GOTHA, *se levant.*

Amis, Charles d'Espagne, étranger par sa mère[1],
Prétend au saint-empire.

PREMIER CONJURÉ

Il aura le tombeau.

LE DUC DE GOTHA

(Il jette sa torche à terre et l'écrase du pied.)
Qu'il en soit de son front comme de ce flambeau!

TOUS

Que ce soit!

PREMIER CONJURÉ

Mort à lui!

LE DUC DE GOTHA

Qu'il meure!

TOUS

Qu'on l'immole!

DON JUAN DE HARO

1610 Son père est Allemand.

LE DUC DE LUTZELBOURG

Sa mère est Espagnole.

LE DUC DE GOTHA

Il n'est plus Espagnol et n'est pas Allemand.
Mort!

---

1. *La mère* de don Carlos était l'infante d'Espagne, Jeanne la Folle.

UN CONJURÉ

Si les électeurs allaient en ce moment
Le nommer empereur?

PREMIER CONJURÉ

Eux? lui? jamais!

DON GIL TELLEZ GIRON

Qu'importe!
Amis! frappons la tête et la couronne est morte.

PREMIER CONJURÉ

1615 S'il a le saint-empire, il devient, quel qu'il soit,
Très auguste, et Dieu seul peut le toucher du doigt!

LE DUC DE GOTHA

Le plus sûr, c'est qu'avant d'être auguste[1], il expire.

PREMIER CONJURÉ

On ne l'élira point!

TOUS

Il n'aura pas l'empire!

PREMIER CONJURÉ

Combien faut-il de bras pour le mettre au linceul?

TOUS

1620 Un seul.

PREMIER CONJURÉ

Combien faut-il de coups au cœur?

TOUS

Un seul.

PREMIER CONJURÉ

Qui frappera?

TOUS

Nous tous.

PREMIER CONJURÉ

La victime est un traître.
Ils font un empereur; nous, faisons un grand prêtre[2],
Tirons au sort.

(Tous les conjurés écrivent leurs noms sur leurs tablettes, déchirent la feuille, la roulent, et vont l'un après l'autre la

1. *Auguste :* qui a un caractère sacré et inviolable; le qualificatif d'*augustus* avait été décerné à Octave lors de son accession au pouvoir suprême, et restait par tradition attaché à la personne de l'Empereur; 2. *Un grand prêtre :* Il s'agit d'une chose sainte, le sacrificateur devient vénérable à tous.

jeter dans l'urne d'un tombeau. — Puis le premier conjuré dit :)

Prions.

(Tous s'agenouillent. Le premier conjuré se lève et dit :)

Que l'élu croie en Dieu,
Frappe comme un Romain, meure comme un Hébreu[1]!
1625 Il faut qu'il brave roue et tenailles mordantes,
Qu'il chante aux chevalets, rie aux lampes ardentes[2],
Enfin que pour tuer et mourir, résigné,
Il fasse tout!

(Il tire un des parchemins de l'urne.)

TOUS

Quel nom?

PREMIER CONJURÉ, *à haute voix.*

Hernani.

HERNANI, *sortant de la foule des conjurés.*

J'ai gagné!
Je te tiens, toi que j'ai si longtemps poursuivie,
1630 Vengeance!

DON RUY GOMEZ, *perçant la foule et prenant Hernani à part.*

Oh! cède-moi ce coup!

HERNANI

Non, sur ma vie!
Oh! ne m'enviez pas ma fortune[3], seigneur!
C'est la première fois qu'il m'arrive bonheur.

DON RUY GOMEZ

Tu n'as rien. Eh bien, tout, fiefs, châteaux, vasselages[4],
Cent mille paysans dans mes trois cents villages,
1635 Pour ce coup à frapper je te les donne, ami!

HERNANI

Non!

LE DUC DE GOTHA

Ton bras porterait un coup moins affermi,
Vieillard!

1. Le *Romain* symbolise l'efficacité, l'*Hébreu* l'esprit de sacrifice; 2. La *roue*, les *tenailles*, les *chevalets*, les *lampes* sont des allusions à la question (torture) infligée jadis aux condamnés ou aux prévenus; 3. *Fortune :* chance; 4. *Vasselage :* condition d'un vassal, lié par obligation d'hommage à son suzerain.

DON RUY GOMEZ

Arrière, vous! sinon le bras, j'ai l'âme.
Aux rouilles du fourreau ne jugez point la lame.
(A Hernani.)
Tu m'appartiens!

HERNANI

Ma vie à vous! la sienne à moi.

DON RUY GOMEZ, *tirant le cor de sa ceinture.*

1640 Eh bien, écoute, ami. Je te rends ce cor.

HERNANI, *ébranlé.*

Quoi!
La vie?... Eh! que m'importe! Ah! je tiens ma vengeance!
Avec Dieu dans ceci je suis d'intelligence.
J'ai mon père à venger... peut-être plus encor[1]!
Elle, me la rends-tu?

DON RUY GOMEZ

Jamais! Je rends ce cor.

HERNANI

1645 Non.

DON RUY GOMEZ

Réfléchis, enfant.

HERNANI

Duc, laisse-moi ma proie.

DON RUY GOMEZ

Eh bien! maudit sois-tu de m'ôter cette joie.
(Il remet le cor à sa ceinture.)

PREMIER CONJURÉ, *à Hernani.*

Frère, avant qu'on ait pu l'élire, il serait bien
D'attendre dès ce soir Carlos...

HERNANI

Ne craignez rien!
Je sais comment on pousse un homme dans la tombe.

PREMIER CONJURÉ

1650 Que toute trahison sur le traître retombe,

1. Il songe à l'honneur de doña Sol. En fait, don Carlos a respecté doña Sol, toujours irréductible.

Et Dieu soit avec vous! Nous, comtes et barons,
S'il[1] périt sans tuer, continuons! Jurons
De frapper tour à tour et sans nous y soustraire
Carlos qui doit mourir.

TOUS, *tirant leurs épées.*

Jurons!

LE DUC DE GOTHA, *au premier conjuré.*

Sur quoi, mon frère?

DON RUY GOMEZ *retourne son épée, la prend par la pointe et l'élève au-dessus de sa tête.*

1655 Jurons sur cette croix!

TOUS, *élevant leurs épées.*

Qu'il meure impénitent[2]!

(On entend un coup de canon éloigné. Tous s'arrêtent en silence. La porte du tombeau s'entrouvre. Don Carlos paraît sur le seuil. Pâle, il écoute. — Un second coup. — Un troisième coup. — Il ouvre tout à fait la porte du tombeau. mais sans faire un pas, debout, immobile sur le seuil.)

SCÈNE IV. — LES CONJURÉS, DON CARLOS; *puis* DON RICARDO, SEIGNEURS, GARDES; LE ROI DE BOHÊME, LE DUC DE BAVIÈRE; *puis* DOÑA SOL.

DON CARLOS

Messieurs, allez plus loin! l'empereur vous entend.
(Tous les flambeaux s'éteignent à la fois. — Profond silence. — Il fait un pas dans les ténèbres, si épaisses qu'on y distingue à peine les conjurés muets et immobiles.)

1. *Il :* Hernani, meurtrier désigné; 2. *Impénitent :* avant d'avoir eu le temps de se repentir de ses péchés.

QUESTIONS

■ SUR LA SCÈNE III. — Rapprochez la construction de cette scène et celle d'une scène d'opéra : étudiez les jeux de lumière.

— L'importance du chœur : montrez que cette scène d'opéra se termine sur un unisson choral. — Le pathétique à la fin de la scène : la lente succession de coups de canon et de l'ombre entrevue sur le seuil.

— Le choix d'Hernani ne s'imposait-il pas selon les lois mêmes du genre? Comment l'auteur joue-t-il, une fois de plus ici, le rôle du destin? Pourquoi Hernani refuse-t-il l'échange que don Ruy lui propose avec tant d'insistance?

Silence et nuit! l'essaim en sort et s'y replonge.
Croyez-vous que ceci va passer comme un songe,
Et que je vous prendrai, n'ayant[1] plus vos flambeaux,
1660 Pour des hommes de pierre assis sur leurs tombeaux?
Vous parliez tout à l'heure assez haut, mes statues!
Allons: relevez donc vos têtes abattues,
Car voici Charles Quint! Frappez, faites un pas!
Voyons, oserez-vous? — Non, vous n'oserez pas.
1665 Vos torches flamboyaient sanglantes sous ces voûtes.
Mon souffle a donc suffi pour les éteindre toutes!
Mais voyez, et tournez vos yeux irrésolus,
Si j'en éteins beaucoup, j'en allume encor plus.
(Il frappe de la clef de fer sur la porte de bronze du tombeau. A ce bruit, toutes les profondeurs du souterrain se remplissent de soldats portant des torches et des pertuisanes. A leur tête, le duc d'Alcala, le marquis d'Almuñan.)
Accourez, mes faucons! j'ai le nid, j'ai la proie!
(Aux conjurés.)
1670 J'illumine à mon tour. Le sépulcre flamboie,
Regardez!
(Aux soldats.)
Venez tous, car le crime est flagrant.

HERNANI, *regardant les soldats.*

A la bonne heure! Seul, il me semblait trop grand.
C'est bien. J'ai cru d'abord que c'était Charlemagne.
Ce n'est que Charles Quint.

DON CARLOS, *au duc d'Alcala.*

Connétable[2] d'Espagne!
(Au marquis d'Almuñan.)
1675 Amiral de Castille, ici! Désarmez-les.
(On entoure les conjurés et on les désarme.)

DON RICARDO, *accourant et s'inclinant jusqu'à terre.*

Majesté!

1. *N'ayant plus :* parce que vous n'avez plus; 2. *Connétable :* officier supérieur, chef de la cavalerie ou commandant d'une ville, d'une place forte.

QUESTIONS

● VERS 1656-1671. Étudiez, ici encore, les jeux de lumière. Pour tous ces éclairages, songez à Rembrandt (la célèbre *Ronde de nuit*) ou à Georges de La Tour. — La grandeur de don Carlos, sa désinvolture dans cette apparition. Son courage : comment se manifeste-t-il? Où l'avons-nous déjà remarqué dans l'acte II? Pourquoi aucun conjuré n'ose-t-il lever son poignard sur lui? (voir v. 1615-1616).

DON CARLOS

Je te fais alcade[1] du palais.

DON RICARDO, *s'inclinant de nouveau.*

Deux électeurs, au nom de la chambre dorée[2],
Viennent complimenter la majesté sacrée[3].

DON CARLOS

Qu'ils entrent.
(Bas à Ricardo.)
Doña Sol[4].

(Ricardo salue et sort. Entrent, avec flambeaux et fanfares, le roi de Bohême et le duc de Bavière, tout en drap d'or, couronnes en tête. — Nombreux cortèges de seigneurs allemands, portant la bannière de l'empire, l'aigle à deux têtes, avec l'écusson d'Espagne au milieu. — Les soldats s'écartent, se rangent en haie, et font passage aux deux électeurs, jusqu'à l'empereur, qu'ils saluent profondément et qui leur rend leur salut en soulevant son chapeau.)

LE DUC DE BAVIÈRE

Charles! roi des Romains,
1680 Majesté très sacrée, empereur! dans vos mains
Le monde est maintenant, car vous avez l'empire.
Il est à vous, ce trône où tout monarque aspire!
Frédéric, duc de Saxe, y fut d'abord élu,
Mais, vous jugeant plus digne, il n'en a pas voulu[5].
1685 Venez donc recevoir la couronne et le globe[6].
Le saint-empire, ô roi, vous revêt de la robe[7].
Il vous arme du glaive, et vous êtes très grand.

DON CARLOS

J'irai remercier le collège en rentrant.
Allez messieurs. Merci, mon frère de Bohême,
1690 Mon cousin de Bavière. Allez. J'irai moi-même.

LE ROI DE BOHÊME

Charles, du nom d'amis nos aïeux se nommaient,
Mon père aimait ton père, et leurs pères s'aimaient.

---

1. *Alcade du palais* (Hugo pense sans doute aux « alcades de cour ») : hauts magistrats de la monarchie espagnole; 2. *La Chambre dorée :* la Diète; 3. *La majesté sacrée :* voir vers 1353 et la note; 4. [Va chercher] doña Sol; 5. Frédéric de Saxe (voir v. 297-298) avait finalement décliné l'offre de la couronne et appuyé l'élection de Charles Quint (fait historique); 6. *Le globe :* voir vers 1460 et la note; 7. *La robe :* voir vers 1478.

Phot. Larousse.

CARICATURE ANTIROMANTIQUE DE LANGLUMÉ

« Je crèverai dans l'œuf ta panse impériale », s'écrie le bandit en menaçant l'Empereur.

Charles, si jeune en butte aux fortunes contraires,
Dis, veux-tu que je sois ton frère entre tes frères?
1695 Je t'ai vu tout enfant, et ne puis oublier...

DON CARLOS, *l'interrompant.*

Roi de Bohême! eh bien, vous êtes familier!
(Il lui présente sa main à baiser, ainsi qu'au duc de Bavière, puis congédie les deux électeurs, qui le saluent profondément.)
Allez!
(Sortent les deux électeurs avec leur cortège.)

LA FOULE

Vivat!

DON CARLOS, *à part.*

J'y suis! et tout m'a fait passage!
Empereur! — au[1] refus de Frédéric le Sage!
(Entre doña Sol, conduite par Ricardo.)

DOÑA SOL

Des soldats! l'empereur! O ciel! coup imprévu!
1700 Hernani!

HERNANI

Doña Sol!

DON RUY GOMEZ, *à côté d'Hernani, à part.*

Elle ne m'a point vu!
(Doña Sol court à Hernani. Il la fait reculer d'un regard de défiance.)

HERNANI

Madame!...

1. [Grâce] *au refus.*

QUESTIONS

● VERS 1672-1698. L'imagination épique, dans les costumes, la figuration, la noblesse hautaine des propos. — Pourquoi don Carlos ne répond-il pas au défi d'Hernani? (v. 1672-1674)? L'apparition de don Ricardo : quel rôle Victor Hugo attribue-t-il à ce personnage épisodique, lors de chacune de ses apparitions? — Commentez le dialogue avec le roi de Bohême. Que signifie le v. 1698?

● VERS 1699-1701. L'effet produit par l'entrée de doña Sol à cet endroit en ce moment. Que nous apprennent ces courtes répliques de doña Sol? d'Hernani? de don Ruy? Que symbolise le poignard?

DOÑA SOL, *tirant le poignard de son sein.*

J'ai toujours son poignard.

HERNANI, *lui tendant les bras.*

Mon amie!

DON CARLOS

Silence, tous!
(Aux conjurés.)
Votre âme est-elle raffermie?
Il convient que je donne au monde une leçon.
Lara le Castillan et Gotha le Saxon,
1705 Vous tous! que venait-on faire ici? parlez.

HERNANI, *faisant un pas.*

Sire,
La chose est toute simple, et l'on peut vous la dire,
Nous gravions la sentence au mur de Balthazar[1].
(Il tire un poignard et l'agite.)
Nous rendions à César ce qu'on doit à César[2].

DON CARLOS

Bien!
(A don Ruy Gomez.)
Vous traître, Silva!

DON RUY GOMEZ

Lequel de nous deux, sire?

HERNANI, *se retournant vers les conjurés.*

1710 Nos têtes et l'empire! il a ce qu'il désire.
(A l'empereur.)
Le bleu manteau des rois pouvait gêner vos pas.
La pourpre vous va mieux. Le sang n'y paraît pas.

DON CARLOS, *à don Ruy Gomez.*

Mon cousin de Silva, c'est une félonie
A faire du blason[3] rayer ta baronnie!
1715 C'est haute trahison, don Ruy, songes-y bien.

---

1. Allusion biblique : les trois mots *Mané*, *Thécel*, *Pharès* apparurent sur le mur de la salle du festin où Balthazar, le sacrilège, utilisait les vases pris au temple de Jérusalem; le prophète Daniel, expliquant cette formule, prédit la chute de ce dernier roi de Babylone; 2. C'est la parole du Christ (*Evangile selon saint Matthieu*, XXII); 3. *Blason :* symbole de la noblesse, comme corps constitué.

DON RUY GOMEZ

Les rois Rodrigue font les comtes Julien[1].

DON CARLOS, *au duc d'Alcala.*

Ne prenez que ce qui peut être duc ou comte.
Le reste...

(Don Ruy Gomez, le duc de Lutzelbourg, le duc de Gotha, don Juan de Haro, don Guzman de Lara, don Tellez Giron, le baron de Hohenbourg se séparent du groupe des conjurés, parmi lesquels est resté Hernani. — Le duc d'Alcala les entoure étroitement de gardes.)

DOÑA SOL, *à part.*

Il est sauvé!

HERNANI, *sortant du groupe des conjurés.*

Je prétends qu'on me compte!

(A don Carlos.)

Puisqu'il s'agit de hache[2] ici, que Hernani,
1720 Pâtre obscur, sous tes pieds passerait impuni,
Puisque son front n'est plus au niveau de ton glaive,
Puisqu'il faut être grand pour mourir, je me lève.
Dieu, qui donne le sceptre et qui te le donna,
M'a fait duc de Segorbe et duc de Cardona,
1725 Marquis de Monroy, comte Albatera, vicomte
De Gor[3], seigneur de lieux dont j'ignore le compte.
Je suis Jean d'Aragon[4], grand maître d'Avis[5], né
Dans l'exil, fils proscrit d'un père assassiné
Par sentence du tien, roi Carlos de Castille!
1730 Le meurtre est entre nous affaire de famille.
Vous avez l'échafaud, nous avons le poignard.

1. Le roi wisigoth Rodrigue ayant outragé la fille du comte Julien, celui-ci, avec l'aide des Arabes, battit et tua son ennemi; 2. Les nobles étaient, en effet, décapités, tandis que les roturiers étaient pendus; 3. *Segorbe :* petite ville de la province de Valence; *Cardona* est située dans la province de Barcelone; *Monroy* est en Estrémadure; *Albatera* dans la province d'Alicante; *Gor*, dans celle de Grenade; 4. En 1519, il ne peut y avoir de prince d'Aragon, selon l'histoire; 5. *Avis :* ville du Portugal; l'ordre portugais de saint Benoît d'Avis fut fondé au XVe siècle par des chevaliers de cette ville.

QUESTIONS

● VERS 1702-1716. L'ambiguïté du vers 1703 : Don Carlos songe-t-il déjà à la clémence? Quel est le sens de sa question au v. 1705? — La réponse d'Hernani (vers 1705-1708 et 1711-1712) : en quoi est-elle insolente? Son imprécision n'en est-elle pas, justement, plus exacte, Hernani parlant au nom de tous? — Que vaut la réponse de don Ruy (v. 1709 et 1716)? Exprime-t-elle une raison valable pour tous les conjurés?

Donc, le ciel m'a fait duc, et l'exil montagnard.
Mais puisque j'ai sans fruit aiguisé mon épée
Sur les monts et dans l'eau des torrents retrempée,
(Il met son chapeau.)
(Aux autres conjurés.)
1735 Couvrons-nous, grands d'Espagne!
(Tous les Espagnols se couvrent.)
(A don Carlos.)
Oui, nos têtes, ô roi,
Ont le droit de tomber couvertes devant toi!
(Aux prisonniers.)
Silva, Haro, Lara, gens de titre et de race,
Place à Jean d'Aragon! ducs et comtes, ma place!
(Aux courtisans et aux gardes.)
Je suis Jean d'Aragon, roi, bourreaux et valets!
1740 Et si vos échafauds sont petits, changez-les!
(Il vient se joindre au groupe des seigneurs prisonniers.)

DOÑA SOL

Ciel!

DON CARLOS

En effet, j'avais oublié cette histoire.

HERNANI

Celui dont le flanc saigne a meilleure mémoire.
L'affront que l'offenseur oublie en insensé
Vit, et toujours remue au cœur de l'offensé.

DON CARLOS

1745 Donc je suis, c'est un titre à n'en point vouloir d'autres,
Fils de pères qui font choir la tête des vôtres!

DOÑA SOL, *se jetant à genoux devant l'empereur.*

Sire, pardon! pitié! Sire, soyez clément!
Ou frappez-nous tous deux, car il est mon amant[1],

1. *Amant* : sens classique « qui aime et est aimé ».

QUESTIONS

● VERS 1717-1746. Notez encore l'importance des mouvements scéniques. Soulignez les deux coups de théâtre des vers 1717-1718. — Sommes-nous vraiment très surpris d'apprendre la haute naissance d'Hernani? A quoi se marque, dans les propos et les gestes, la grandeur d'âme d'Hernani? Montrez dans sa tirade (v. 1718-1740) l'orgueil, le goût du panache, le mépris provocant et le désir de fronder. — Comment réagissent doña Sol et don Carlos? Le vers 1745 indique-t-il que don Carlos va faire grâce?

Mon époux! En lui seul je respire. Oh, je tremble.
1750 Sire, ayez la pitié de nous tuer ensemble!
Majesté! je me traîne à vos sacrés genoux!
Je l'aime! Il est à moi, comme l'empire à vous!
Oh! grâce!
(Don Carlos la regarde immobile.)
Quel penser sinistre vous absorbe?

DON CARLOS

Allons! relevez-vous, duchesse de Segorbe,
1755 Comtesse Albatera, marquise de Monroy...
(A Hernani.)
— Tes autres noms, don Juan?

HERNANI

Qui parle ainsi? le roi?

DON CARLOS

Non, l'empereur.

DOÑA SOL, *se relevant.*

Grand Dieu!

DON CARLOS, *la montrant à Hernani.*

Duc, voilà ton épouse[1].

HERNANI, *les yeux au ciel, et doña Sol dans ses bras.*

Juste Dieu!

DON CARLOS, *à don Ruy Gomez.*

Mon cousin, ta noblesse est jalouse,
Je sais. Mais Aragon peut épouser Silva.

---

1. En fait, Charles Quint se montra au contraire inexorable pour l'insurrection des Communes.

QUESTIONS

● VERS 1747-1753. Le pathétique. Le rythme haletant de la tirade de doña Sol. Cette prière est-elle très adroite?

● VERS 1754-1758. Caractérisez ce nouveau coup de théâtre (v. 1754-1755). — La part du caractère de don Carlos tel que nous l'avons vu jusqu'ici, et celle de sa récente méditation (IV, II) dans ce geste. Montrez que si Victor Hugo l'a dépeint cruel, égoïste, orgueilleux, il a fait ressortir aussi son courage, sa grandeur d'âme, son énergie, sa hauteur de vues. A la suite de la prière de doña Sol, don Carlos n'a-t-il pas compris la grandeur de la leçon inspirée par Charlemagne? Essayez de deviner les motifs profonds de cette clémence : est-ce pure générosité (voyez le v. 1370 pour juger le sens moral de don Carlos)? N'est-ce pas plutôt orgueil et politique? N'a-t-il pas hésité quelque peu (v. 1753)? — Quelle puissante émotion suscite ce geste grandiose?

DON RUY GOMEZ, *sombre.*

1760 Ce n'est pas ma noblesse.

HERNANI, *regardant doña Sol avec amour et la tenant embrassée*

Oh! ma haine s'en va!

(Il jette son poignard.)

DON RUY GOMEZ, *à part, les regardant tous deux.*

Éclaterai-je? Oh! non! Fol amour! douleur folle!
Tu leur ferais pitié, vieille tête espagnole!
Vieillard, brûle sans flamme, aime et souffre en secret.
Laisse ronger ton cœur. Pas un cri. L'on rirait.

DOÑA SOL, *dans les bras d'Hernani.*

1765 O mon duc!

HERNANI

Je n'ai plus que de l'amour dans l'âme.

DOÑA SOL

O bonheur!

DON CARLOS, *à part, la main dans sa poitrine.*

Éteins-toi, cœur jeune et plein de flamme!
Laisse régner l'esprit, que longtemps tu troublas.
Tes amours désormais, tes maîtresses, hélas!
C'est l'Allemagne, c'est la Flandre, c'est l'Espagne.
(L'œil fixé sur sa bannière.)
1770 L'empereur est pareil à l'aigle[1], sa compagne :
A la place du cœur, il n'a qu'un écusson.

HERNANI

Ah! vous êtes César!

DON CARLOS, *à Hernani.*

De ta noble maison,
Don Juan, ton cœur est digne.
(Montrant doña Sol.)
Il est digne aussi d'elle.
— A genoux, duc!
(Hernani s'agenouille. Don Carlos détache sa toison d'or et la lui passe au cou.)
Reçois ce collier.
(Don Carlos tire son épée et l'en frappe trois fois sur l'épaule.)

---

1. *Aigle* (ici au féminin) : l'emblème impérial, portant en son centre un écusson.

Sois fidèle!

1775 Par saint Étienne[1], duc, je te fais chevalier.

(Il le relève et l'embrasse.)

Mais tu l'as, le plus doux et le plus beau collier,
Celui que je n'ai pas, qui manque au rang suprême,
Les deux bras d'une femme aimée et qui vous aime!
Ah! tu vas être heureux; moi, je suis empereur.

(Aux conjurés.)

1780 Je ne sais plus vos noms, messieurs. Haine et fureur,
Je veux tout oublier. Allez, je vous pardonne!
C'est la leçon qu'au monde il convient que je donne.
Ce n'est pas vainement qu'à Charles premier, roi,
L'empereur Charles Quint succède, et qu'une loi
1785 Change, aux yeux de l'Europe, orpheline éplorée,
L'Altesse catholique en majesté sacrée[2].

(Les conjurés tombent à genoux.)

LES CONJURÉS

Gloire à Carlos!

DON RUY GOMEZ, *à don Carlos.*

Moi seul je reste condamné.

DON CARLOS

Et moi!

DON RUY GOMEZ, *à part.*

Mais, comme lui, je n'ai point pardonné[3]!

HERNANI

Qui donc nous change tous ainsi?

---

1. *Saint Étienne :* Étienne Ier, roi de Hongrie (979-1038); il propagea le catholicisme et fut canonisé à la fin du XIe siècle; il est le patron de la Hongrie; 2. Titres officiels du roi d'Espagne *(Altesse catholique)* et de l'Empereur *(Majesté sacrée)*; 3. *Je n'ai point pardonné*, comme Charles Quint l'a fait.

QUESTIONS

● VERS 1758-1789. La composition de ce passage : comment alternent les duos Hernani-don Carlos, doña Sol-Hernani, don Ruy-don Carlos? Quel sentiment peut amener don Carlos au pardon général (v. 1780-1786). — Le lyrisme : quelles passions s'expriment tour à tour par la bouche des différents personnages? Les effets de contraste ainsi produits. — Comparez cette scène au dénouement de *Cinna :* en quoi doña Sol et Hernani sont-ils comparables à Cinna et à Émilie? Montrez que l'admiration produit les mêmes effets. Rapprochez le dernier geste de don Carlos (le don de la Toison d'or) du geste d'Auguste à l'égard de Cinna : « Reçois le consulat pour la prochaine année. »

TOUS, *soldats, conjurés, seigneurs.*

Vive Allemagne!

1790 Honneur à Charles Quint!

DON CARLOS, *se tournant vers le tombeau.*

Honneur à Charlemagne!

Laissez-nous seuls tous deux.

(Tous sortent.)

SCÈNE V. — DON CARLOS, *seul.*

(Il s'incline devant le tombeau.)

Es-tu content de moi?

Ai-je bien dépouillé les misères[1] du roi,
Charlemagne? Empereur, suis-je bien un autre homme?
Puis-je accoupler mon casque à la mitre de Rome?
1795 Aux fortunes du monde ai-je droit de toucher?
Ai-je un pied sûr et ferme, et qui puisse marcher
Dans ce sentier, semé des ruines vandales[2],
Que tu nous as battu de tes larges sandales?
Ai-je bien à ta flamme allumé mon flambeau?
1800 Ai-je compris la voix qui parle en ton tombeau?
Ah! j'étais seul, perdu, seul devant un empire,
Tout un monde qui hurle, et menace et conspire,
Le Danois[3] à punir, le Saint-Père à payer[4],
Venise[5], Soliman[6], Luther[7], François premier[8],

---

1. *Misères :* faiblesses méprisables; **2.** L'invasion des *Vandales* remonte au ve siècle; mais l'expression évoque l'ensemble des invasions barbares, destructrices de toute la civilisation de l'Empire romain; **3.** Le *Danois :* Christian le Cruel qui, un an après, annexait la Suède; **4.** Voir vers 314-317; **5.** *Venise :* alors république indépendante, qui est au faîte de sa puissance et domine la Méditerranée orientale; **6.** *Soliman* le Magnifique ne devint en réalité sultan qu'en 1520; il menacera l'empire de Charles Quint en envahissant la Hongrie; **7.** *Luther :* voir vers 1052; **8.** *François Ier*, rival malheureux pour le trône impérial, et dont le royaume était encerclé par les possessions de Charles Quint, allait essayer d'obtenir l'alliance de Henri VIII d'Angleterre à l'entrevue du camp du Drap d'or (1520). Tout ce passage fait de Charles Quint un monarque qui semble avoir une vue prophétique des luttes qu'il aura à mener. (Voir dans la Notice « *Hernani* » *et l'histoire*, page 26.)

QUESTIONS

● VERS 1789-1791. La grandeur de cette fin de scène : comment revient le « thème » qui soutient tout cet acte?

■ SUR L'ENSEMBLE DE LA SCÈNE IV. — Composition de cette scène mouvementée : les nombreux coups de théâtre, l'opposition du chœur et du protagoniste, jusqu'au couronnement dans l'accord final.

— A quoi se marquent dans cette scène la volonté de vengeance de don Carlos, son ascension morale, sa conversion brutale, la prise de conscience de sa nouvelle grandeur?

1805 Mille poignards jaloux luisant déjà dans l'ombre,
Des pièges, des écueils, des ennemis sans nombre,
Vingt peuples dont un seul ferait peur à vingt rois,
Tout pressé, tout pressant, tout à faire à la fois,
Je t'ai crié : — Par où faut-il que je commence?
1810 Et tu m'as répondu : — Mon fils, par la clémence!

ACTE V

LA NOCE

SARAGOSSE

Une terrasse du palais d'Aragon. Au fond, la rampe d'un escalier qui s'enfonce dans le jardin. A droite et à gauche, deux portes donnant sur la terrasse, que ferme une balustrade surmontée de deux rangs d'arcades mauresques, au-dessus et au travers desquelles on voit les jardins du palais, les jets d'eau dans l'ombre, les bosquets avec les lumières qui s'y promènent, et au fond les faîtes gothiques et arabes du palais illuminé. Il est nuit. On entend des fanfares éloignées[1]. *Des masques,*

1. Lors d'une reprise, Hugo a inséré dans ce début d'acte une musique de bal, une *Romanesca* du XVIe siècle, qu'il avait entendue dans un concert en 1833.

QUESTIONS

■ SUR LA SCÈNE V. — En quoi ce court monologue est-il une réponse à celui, plus étoffé, de la scène II?

— La valeur des questions posées aux vers 1791-1799 : sur quel ton sont-elles posées? Que révèle ce passage sur le caractère de don Carlos?
— Comparez son sentiment de solitude (v. 1801-1808) ici et dans les scènes précédentes où il l'évoque. Ce thème de la solitude du conducteur d'hommes se retrouve-t-il dans d'autres textes de Victor Hugo? chez d'autres poètes romantiques?

— La valeur historique des évocations faites aux vers 1802-1807.

■ SUR L'ENSEMBLE DE L'ACTE IV. — La composition de cet acte; le problème posé par la scène II; la réponse donnée aux scènes IV et V.

— L'opposition entre les conjurés et don Carlos, scène à scène; comment cette opposition se résout-elle?

— Le prolongement épique du cortège des rois, des seigneurs et des troupes.

— Dans quelle mesure cet acte termine-t-il une partie du drame? Quelle question reste encore posée? Comment envisagez-vous, actuellement, le dénouement possible?

des dominos[1], *épars, isolés, ou groupés, traversent çà et là la terrasse. Sur le devant, un groupe de jeunes seigneurs, les masques à la main, riant et causant à grand bruit.*

SCÈNE PREMIÈRE. — DON SANCHO SANCHEZ DE ZUNIGA, COMTE DE MONTEREY, DON MATIAS CENTURION, MARQUIS D'ALMUÑAN, DON RICARDO DE ROXAS, COMTE DE CASAPALMA, DON FRANCISCO DE SOTOMAYOR, COMTE DE VELALCAZAR, DON GARCI SUAREZ DE CARBAJAL, COMTE DE PEÑALVER.

DON GARCI

Ma foi, vive la joie et vive l'épousée!

DON MATIAS, *regardant au balcon.*

Saragosse ce soir se met à la croisée.

DON GARCI

Et fait bien! on ne vit jamais noce aux flambeaux
Plus gaie, et nuit plus douce, et mariés plus beaux!

DON MATIAS

1815 Bon empereur!

DON SANCHO

Marquis, certain soir qu'à la brune
Nous allions avec lui tous deux cherchant fortune[2],
Qui nous eût dit qu'un jour tout finirait ainsi?

DON RICARDO, *l'interrompant.*

J'en étais.
(Aux autres.)
Écoutez l'histoire que voici.
Trois galants, un bandit que l'échafaud réclame,
1820 Puis un duc, puis un roi, d'un même cœur de femme
Font le siège à la fois. L'assaut donné, qui l'a?
C'est le bandit.

DON FRANCISCO

Mais rien que de simple en cela.
L'amour et la fortune, ailleurs comme en Espagne,
Sont jeux de dés pipés. C'est le voleur qui gagne!

---

1. *Domino :* vêtement pourvu d'un capuchon noir que l'on portait, avec un loup de soie ou de velours, dans un bal masqué; par extension, se dit de celui ou de celle qui porte un domino; 2. Voir acte II, scène II.

DON RICARDO

1825 Moi, j'ai fait ma fortune à voir faire l'amour.
D'abord comte, puis grand, puis alcade de cour[1];
J'ai fort bien employé mon temps, sans qu'on s'en doute.

DON SANCHO

Le secret de monsieur, c'est d'être sur la route
Du roi...

DON RICARDO

Faisant valoir mes droits, mes actions.

DON GARCI

1830 Vous avez profité de ses distractions.

DON MATIAS

Que devient le vieux duc[2]? Fait-il clouer sa bière?

DON SANCHO

Marquis, ne riez pas! car c'est une âme fière.
Il aimait doña Sol, ce vieillard. Soixante ans
Ont fait ses cheveux gris, un jour les a fait blancs.

DON GARCI

1835 Il n'a pas reparu, dit-on, à Saragosse.

DON SANCHO

Vouliez-vous pas[3] qu'il mît son cercueil de la noce?

DON FRANCISCO

Et que fait l'empereur?

DON SANCHO

L'empereur aujourd'hui
Est triste. Le Luther lui donne de l'ennui.

DON RICARDO

Ce Luther, beau sujet de soucis et d'alarmes!
1840 Que j'en finirais vite avec quatre gens d'armes!

DON MATIAS

Le Soliman[4] aussi lui fait ombre.

DON GARCI

Ah! Luther,

---

1. Voir vers 442, 1372, 1676; **2.** *Le vieux duc :* Don Ruy Gomez; **3.** Voir vers 25 et la note; **4.** *Soliman :* voir vers 1804.

Soliman, Neptunus, le diable et Jupiter[1],
Que me font ces gens-là? Les femmes sont jolies,
La mascarade est rare, et j'ai dit cent folies!

DON SANCHO

1845 Voilà l'essentiel.

DON RICARDO

Garci n'a point tort. Moi,
Je ne suis plus le même un jour de fête, et croi[2]
Qu'un masque que je mets me fait une autre tête,
En vérité!

DON SANCHO, *bas à Matias.*

Que n'est-ce alors tous les jours fête?

DON FRANCISCO, *montrant la porte à droite.*

Messeigneurs, n'est-ce pas la chambre des époux?

DON GARCI, *avec un signe de tête.*

1850 Nous les verrons venir dans l'instant.

DON FRANCISCO

Croyez-vous?

DON GARCI

Hé! sans doute!

DON FRANCISCO

Tant mieux. L'épousée est si belle!

DON RICARDO

Que l'empereur est bon! Hernani, ce rebelle,
Avoir la toison d'or! marié! pardonné!
Loin de là, s'il m'eût cru, l'empereur eût donné
1855 Lit de pierre au galant, lit de plume à la dame.

DON SANCHO, *bas à don Matias.*

Que je le crèverais volontiers de ma lame,
Faux seigneur de clinquant recousu de gros fil!
Pourpoint de comte, empli de conseils d'alguazil[3]!

DON RICARDO, *s'approchant.*

Que dites-vous là?

---

1. *Neptune* symbolise ici la mer; *Jupiter* le ciel; 2. *Croi :* voir vers 282 et la note; 3. *Alguazil :* agent de police.

DON MATIAS, *bas à don Sancho.*

Comte, ici pas de querelle!

(A don Ricardo.)

1860 Il me chante un sonnet de Pétrarque à sa belle[1].

DON GARCI

Avez-vous remarqué, messieurs, parmi les fleurs,
Les femmes, les habits de toutes les couleurs,
Ce spectre, qui, debout contre une balustrade,
De son domino[2] noir tachait la mascarade?

DON RICARDO

1865 Oui, pardieu!

DON GARCI

Qu'est-ce donc?

DON RICARDO

Mais, sa taille, son air...
C'est don Prancasio, général de la mer[3].

DON FRANCISCO

Non.

DON GARCI

Il n'a pas quitté son masque.

DON FRANCISCO

Il n'avait garde.
C'est le duc de Soma qui veut qu'on le regarde.
Rien de plus.

DON RICARDO

Non. Le duc m'a parlé.

DON GARCI

Qu'est-ce alors
1870 Que ce masque? — Tenez, le voilà.

(Entre un domino noir qui traverse lentement la terrasse au fond. Tous se retournent et le suivent des yeux, sans qu'il paraisse y prendre garde.)

---

1. Laure de Noves à laquelle Pétrarque (1304-1374) a consacré ses poèmes d'amour. La poésie de Pétrarque était de nouveau fort goûtée à l'époque de la Renaissance; 2. *Domino :* voir page 153, note 1; 3. *Général de la mer :* titre que l'on donnait, en Espagne, à l'amiral.

DON SANCHO

Si les morts
Marchent, voici leur pas.

DON GARCI, *courant au domino noir.*

Beau masque!...
(Le domino noir se retourne et s'arrête. Garci recule.)
Sur mon âme,
Messeigneurs, dans ses yeux j'ai vu luire une flamme!

DON SANCHO

Si c'est le diable, il trouve à qui parler.
(Il va au domino noir, toujours immobile.)

Mauvais[1]!
Nous viens-tu de l'enfer?

LE MASQUE

Je n'en viens pas, j'y vais!
(Il reprend sa marche et disparaît par la rampe de l'escalier. Tous le suivent des yeux avec une sorte d'effroi.)

DON MATIAS

1875 La voix est sépulcrale autant qu'on le peut dire.

DON GARCI

Baste[2]! ce qui fait peur ailleurs, au bal fait rire.

DON SANCHO

Quelque mauvais plaisant!

DON GARCI

Ou si c'est Lucifer
Qui vient nous voir danser, en attendant l'enfer,
Dansons!

DON SANCHO

C'est à coup sûr quelque bouffonnerie.

---

1. *Mauvais*, employé ici comme nom pour désigner un être dominé par l'esprit du mal; 2. *Baste :* voir vers 1381 et la note.

DON MATIAS

1880 Nous le saurons demain.

DON SANCHO, *à don Matias.*

Regardez, je vous prie.

Que devient-il?

DON MATIAS, *à la balustrade de la terrasse.*

Il a descendu l'escalier.

Plus rien.

DON SANCHO

C'est un plaisant drôle!

(Rêvant.)

C'est singulier.

DON GARCI, *à une dame qui passe.*

Marquise, dansons-nous celle-ci?

(Il la salue et lui présente la main.)

LA DAME

Mon cher comte,

Vous savez, avec vous, que mon mari les compte.

DON GARCI

1885 Raison de plus. Cela l'amuse apparemment.

C'est son plaisir. Il compte, et nous dansons.

(La dame lui donne la main et ils sortent.)

DON SANCHO, *pensif.*

Vraiment,

C'est singulier!

DON MATIAS

Voici les mariés. Silence!

(Entrent Hernani et doña Sol se donnant la main. Doña Sol en magnifique habit de mariée; Hernani tout en velours noir, avec la toison d'or au cou. Derrière eux, foule de masques, de dames et de seigneurs qui leur font cortège. Deux hallebardiers en riche livrée les suivent, et quatre pages les précèdent. Tout le monde se range et s'incline sur leur passage. Fanfare.)

QUESTIONS

■ SUR LA SCÈNE PREMIÈRE. — Voir page 159.

SCÈNE II. — LES MÊMES, HERNANI, DOÑA SOL, SUITE.

HERNANI, *saluant.*

Chers amis!

DON RICARDO, *allant à lui et s'inclinant.*

Ton bonheur fait le nôtre, excellence!

DON FRANCISCO, *contemplant doña Sol.*

Saint Jacques monseigneur[1]! C'est Vénus qu'il conduit!

DON MATIAS

1890 D'honneur, on est heureux un pareil jour la nuit!

DON FRANCISCO, *montrant à don Matias la chambre nuptiale.*

Qu'il va se passer là de gracieuses choses!
Être fée, et tout voir, feux éteints, portes closes,
Serait-ce pas charmant[2]?

DON SANCHO, *à don Matias.*

Il est tard. Partons-nous?

(Tous vont saluer les mariés et sortent, les uns par la porte, les autres par l'escalier du fond.)

---

1. Voir vers 210 et la note; 2. Voir vers 25 et la note.

QUESTIONS

■ SUR LA SCÈNE PREMIÈRE. — Appréciez le décor et la mise en scène, en particulier les oppositions de styles architecturaux, la vue sur les jardins à la mauresque et l'accompagnement musical.

— Comment cette scène se rattache-t-elle à l'acte précédent? Combien de temps s'est-il écoulé? Montrez que le poète se sert du bavardage des courtisans pour rappeler certains faits ou en apprendre de nouveaux : appréciez en particulier le jeu auquel il se livre aux vers 1819-1822.

— La satire des courtisans et, en particulier, de don Ricardo, toujours semblable à lui-même. Comment les autres le considèrent-ils?

— L'apparition du domino noir (v. 1861) : le contraste de son costume, de son attitude, de son état d'esprit avec les autres. Les questions et les réflexions qu'il suscite, révélant en même temps les différents caractères des courtisans. Comment son intervention a-t-elle été préparée? Comment Victor Hugo nous guide-t-il pour le reconnaître?

— L'atmosphère : montrez que nous avons ici un exemple particulièrement heureux de mélange des genres. Comment l'angoisse se glisse-t-elle peu à peu au milieu de la joie légère qui régnait au début? Y a-t-il dans *Hernani* beaucoup d'autres passages où s'allient le comique et le tragique?

— Montrez ce qui donne à cette scène un caractère typiquement romantique.

HERNANI, *les reconduisant.*

Dieu vous garde!

DON SANCHO, *resté le dernier, lui serre la main.*

Soyez heureux!

(Il sort.)

(Hernani et doña Sol restent seuls. Bruit de pas et de voix qui s'éloignent, puis cessent tout à fait. Pendant tout le commencement de la scène qui suit, les fanfares et les lumières éloignées s'éteignent par degrés. La nuit et le silence reviennent peu à peu.)

SCÈNE III. — HERNANI, DOÑA SOL.

DOÑA SOL

Ils s'en vont tous,

1895 Enfin!

HERNANI, *cherchant à l'attirer dans ses bras.*

Cher amour!

DOÑA SOL, *rougissant et reculant.*

C'est... qu'il est tard, ce me semble.

HERNANI

Ange! Il est toujours tard pour être seuls ensemble.

DOÑA SOL

Ce bruit me fatiguait. N'est-ce pas, cher seigneur,
Que toute cette joie étourdit le bonheur?

HERNANI

Tu dis vrai. Le bonheur, amie, est chose grave.
1900 Il veut des cœurs de bronze et lentement s'y grave,
Le plaisir l'effarouche en lui jetant des fleurs.
Son sourire est moins près du rire que des pleurs.

DOÑA SOL

Dans vos yeux, ce sourire est le jour.

(Hernani cherche à l'entraîner vers la porte. Elle rougit.)

Tout à l'heure.

QUESTIONS

■ SUR LA SCÈNE II. — Les mouvements de foule, les bruits, les éclairages. Comment le poète sait-il donner du relief à cette scène de transition?

HERNANI

Oh! je suis ton esclave! Oui, demeure, demeure!
1905 Fais ce que tu voudras. Je ne demande rien.
Tu sais ce que tu fais! ce que tu fais est bien!
Je rirai si tu veux, je chanterai. Mon âme
Brûle. Eh! dis au volcan qu'il étouffe sa flamme,
Le volcan fermera ses gouffres entrouverts,
1910 Et n'aura sur les flancs que fleurs et gazons verts.
Car le géant est pris, le Vésuve est esclave,
Et que t'importe à toi son cœur rongé de lave?
Tu veux des fleurs? c'est bien! Il faut que de son mieux
Le volcan tout brûlé s'épanouisse aux yeux!

DOÑA SOL

1915 Oh! que vous êtes bon pour une pauvre femme,
Hernani de mon cœur!

HERNANI

Quel est ce nom, madame?
Ah! ne me nomme plus de ce nom, par pitié!
Tu me fais souvenir que j'ai tout oublié!
Je sais qu'il existait autrefois, dans un rêve,
1920 Un Hernani, dont l'œil avait l'éclair du glaive,
Un homme de la nuit et des monts, un proscrit
Sur qui le mot *vengeance* était partout écrit,
Un malheureux traînant après lui l'anathème[1]!
Mais je ne connais pas ce Hernani. — Moi j'aime
1925 Les prés, les fleurs, les bois, le chant du rossignol,
Je suis Jean d'Aragon, mari de doña Sol!
Je suis heureux!

DOÑA SOL

Je suis heureuse!

HERNANI

Que m'importe
Les haillons qu'en entrant j'ai laissés à la porte?
Voici que je reviens à mon palais en deuil.

1. *Anathème* : ici, malédiction.

QUESTIONS

● VERS 1894-1914. Dégagez tout ce qu'il y a de désir, de tendresse dans l'atmosphère de ce début de scène, la poésie du cadre (silence, éclairage, etc.). — Caractérisez l'amour exprimé ici. Le thème lyrique développé (opposition entre le bonheur et le plaisir) est-il nouveau? Étudiez les images et le rythme de ces vers.

Phot. Bernand.

En haut : « Hernani, je vous aime et vous pardonne. » (Vers 919.)

En bas : « Par saint Étienne, duc, je te fais chevalier. » (Vers 1775.)

Phot. Bernand.

Phot. Bernand.

En haut : « Dieu! Quels regards funèbres! » (Vers 1991.)

En bas : « Il dort. C'est mon époux, vois-tu. » (Vers 2162.)

Phot. Larousse.

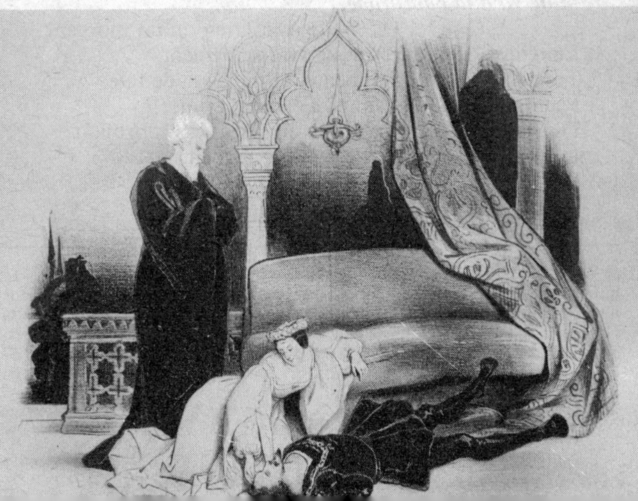

1930 Un ange du Seigneur m'attendait sur le seuil.
J'entre, et remets debout les colonnes brisées,
Je rallume le feu, je rouvre les croisées.
Je fais arracher l'herbe au pavé de la cour,
Je ne suis plus que joie, enchantement, amour.
1935 Qu'on me rende mes tours, mes donjons, mes bastilles,
Mon panache, mon siège au conseil des Castilles,
Vienne ma doña Sol rouge et le front baissé,
Qu'on nous laisse tous deux, et le reste est passé!
Je n'ai rien vu, rien dit, rien fait. Je recommence,
1940 J'efface tout, j'oublie! Ou sagesse ou démence,
Je vous ai, je vous aime, et vous êtes mon bien!

DOÑA SOL, *examinant sa toison d'or.*

Que sur ce velours noir ce collier d'or fait bien!

HERNANI

Vous vîtes avant moi le roi mis de la sorte.

DOÑA SOL

Je n'ai pas remarqué. Tout autre, que m'importe!
1945 Puis, est-ce le velours ou le satin encor?
Non, mon duc, c'est ton cou qui sied au collier d'or.
Vous êtes noble et fier, monseigneur.
(Il veut l'entraîner.)
Tout à l'heure!
Un moment! — Vois-tu bien, c'est la joie! et je pleure!
Viens voir la belle nuit.
(Elle va à la balustrade.)
Mon duc, rien qu'un moment!
1950 Le temps de respirer et de voir seulement.
Tout s'est éteint, flambeaux et musique de fête.
Rien que la nuit et nous. Félicité parfaite!
Dis, ne le crois-tu pas? sur nous, tout en dormant,
La nature à demi veille amoureusement.
1955 Pas un nuage au ciel. Tout, comme nous, repose.
Viens, respire avec moi l'air embaumé de rose!

QUESTIONS

● VERS 1915-1941. Expliquez la réplique de doña Sol (v. 1915-1916) : le sentiment exprimé; sa cause; que signifie pour elle le nom d'Hernani? — L'antithèse qui oppose les deux tirades d'Hernani. Le vrai Hernani, fait « pour aimer » et non pas pour haïr, ne se dégage-t-il pas de la fatalité? Commentez la double exclamation du vers 1927. Étudiez le mouvement lyrique de la deuxième tirade, et les images, à demi symboliques.

Regarde. Plus de feux, plus de bruit. Tout se tait.
La lune tout à l'heure à l'horizon montait;
Tandis que tu parlais, sa lumière qui tremble
1960 Et ta voix, toutes deux, m'allaient au cœur ensemble
Je me sentais joyeuse et calme, ô mon amant,
Et j'aurais bien voulu mourir en ce moment!

HERNANI

Ah! qui n'oublierait tout à cette voix céleste?
Ta parole est un chant où rien d'humain ne reste.
1965 Et, comme un voyageur, sur un fleuve emporté,
Qui glisse sur les eaux par un beau soir d'été,
Et voit fuir sous ses yeux mille plaines fleuries,
Ma pensée entraînée erre en tes rêveries!

DOÑA SOL

Ce silence est trop noir, ce calme est trop profond.
1970 Dis, ne voudrais-tu pas voir une étoile au fond?
Ou qu'une voix des nuits tendre et délicieuse,
S'élevant tout à coup, chantât?...

HERNANI, *souriant.*

Capricieuse!
Tout à l'heure on fuyait la lumière et les chants!

DOÑA SOL

Le bal! Mais un oiseau qui chanterait aux champs!
1975 Un rossignol perdu dans l'ombre et dans la mousse,
Ou quelque flûte au loin!... Car la musique est douce,
Fait l'âme harmonieuse et, comme un divin chœur,
Éveille mille voix qui chantent dans le cœur!
Ah! ce serait charmant.
(On entend le bruit lointain d'un cor dans l'ombre.)
Dieu! je suis exaucée!

QUESTIONS

● VERS 1942-1979. Qu'apporte de neuf au théâtre l'intimité des vers 1942-1949? Quelle émotion s'en dégage-t-il? La simplicité d'expression chez doña Sol (v. 1944-1949). — Étudiez l'admirable duo (v. 1950-1979) : rythme évocateur, sentiment de la nature mêlée à l'amour (voir « Tristesse d'Olympio » : « Tout ce que la nature à l'amour qui s'y cache, Mêle de rêverie et de solennité »); ces héros romantiques ne sont-ils pas de grands artistes? (v. 1969-1972 et 1974-1979). Montrez, une fois encore, l'harmonie du cadre et des sentiments.

● VERS 1979. Quel effet le poète veut-il produire par ce brutal coup de théâtre? L'opposition cruelle du signal avec le duo lyrique; l'ironie tragique de l'interprétation qu'en donne doña Sol.

HERNANI, *tressaillant, à part.*

1980 Ah! malheureuse!

DOÑA SOL

Un ange a compris ma pensée,
Ton bon ange sans doute!

HERNANI, *amèrement.*

Oui, mon bon ange!
(Le cor recommence. — A part.)

Encor!

DOÑA SOL, *souriant.*

Don Juan, je reconnais[1] le son de votre cor!

HERNANI

N'est-ce pas?

DOÑA SOL

Seriez-vous dans cette sérénade
De moitié?

HERNANI

De moitié, tu l'as dit.

DOÑA SOL

Bal maussade!
1985 Oh! que j'aime bien mieux le cor au fond des bois[2]!
Et puis, c'est votre cor, c'est comme votre voix.
(Le cor recommence.)

HERNANI, *à part.*

Ah! le tigre est en bas qui hurle, et veut sa proie.

DOÑA SOL

Don Juan[3], cette harmonie emplit le cœur de joie.

HERNANI, *se levant, terrible.*

Nommez-moi Hernani! nommez-moi Hernani!
1990 Avec ce nom fatal je n'en ai pas fini!

DOÑA SOL *tremblante.*

Qu'avez-vous?

---

1. Le signal de l'évasion de doña Sol (I, III, v. 373) était, à l'origine, trois appels de cor. Au dernier moment, l'auteur lui substitua trois claquements de mains, moins bruyants. Mais il n'a pas fait ici la retouche; 2. C'est ici un écho du premier vers du *Cor* de Vigny, paru en 1826, dans les *Poèmes antiques et modernes.*; 3. Ce titre lui a été donné pour la première fois par l'Empereur au vers 1756.

HERNANI

Le vieillard!

DOÑA SOL

Dieu! quels regards funèbres!

Qu'avez-vous?

HERNANI

Le vieillard, qui rit dans les ténèbres!

Ne le voyez-vous pas?

DOÑA SOL

Où vous égarez-vous?

Qu'est-ce que ce vieillard?

HERNANI

Le vieillard!

DOÑA SOL, *tombant à genoux.*

A genoux

1995 Je t'en supplie, oh! dis, quel secret te déchire?

Qu'as-tu?

HERNANI

Je l'ai juré!

DOÑA SOL

Juré?

(Elle suit tous ses mouvements avec anxiété. Il s'arrête tout à coup et passe la main sur son front.)

HERNANI, *à part.*

Qu'allais-je dire?

Épargnons-la.

(Haut.)

Moi, rien. De quoi t'ai-je parlé?

DOÑA SOL

Vous avez dit...

HERNANI

Non. Non. J'avais l'esprit troublé...

Je souffre un peu, vois-tu. N'en prends pas d'épouvante.

DOÑA SOL

2000 Te faut-il quelque chose? ordonne à ta servante.

(Le cor recommence.)

HERNANI, *à part.*

Il le veut! il le veut! Il a mon serment!

(Cherchant à sa ceinture sans épée et sans poignard.)

— Rien!

Ce devrait être fait! — Ah!...

DOÑA SOL

Tu souffres donc bien?

HERNANI

Une blessure ancienne, et qui semblait fermée,
Se rouvre...
(A part.)

Éloignons-la.

(Haut.)

Doña Sol, bien aimée,

2005 Écoute. Ce coffret qu'en des jours moins heureux
Je portais avec moi...

DOÑA SOL

Je sais ce que tu veux.
Eh bien, qu'en veux-tu faire?

HERNANI

Un flacon qu'il renferme
Contient un élixir qui pourra mettre un terme
Au mal que je ressens. — Va!

DOÑA SOL

J'y vais, mon seigneur.
(Elle sort par la porte de la chambre nuptiale.)

SCÈNE IV. — HERNANI, *seul.*

2010 Voilà donc ce qu'il vient faire de mon bonheur!
Voici le doigt fatal qui luit sur la muraille[1]!

---

1. Voir vers 1707 et la note.

QUESTIONS

● VERS 1980-2009. Comment le poète prolonge-t-il d'abord le quiproquo? A quel moment Hernani perd-il le contrôle de ses nerfs? Pourquoi essaie-t-il ensuite de feindre? Que cherche-t-il à obtenir de doña Sol? — La valeur hallucinatoire du vers 1992; comment le spectateur a-t-il été préparé à se représenter ce spectre qu'Hernani ne voit alors qu'en imagination? — Pourquoi doña Sol ne soupçonne-t-elle rien du danger qui épouvante Hernani?

■ SUR L'ENSEMBLE DE LA SCÈNE III. — La composition violemment contrastée de cette scène : rythme, ton, sentiments, caractères même des personnages. Comment passe-t-on de l'effusion du bonheur amoureux à l'atrocité d'une angoisse mortelle?

Oh! que la destinée amèrement me raille!
(Il tombe dans une profonde et convulsive rêverie, puis se détourne brusquement.)
Eh bien?... Mais tout se tait... Je n'entends rien venir...
Si je m'étais trompé?...
(Le masque en domino noir paraît au haut de la rampe. Hernani s'arrête, pétrifié.)

SCÈNE V. — HERNANI, LE MASQUE.

LE MASQUE

« Quoi qu'il puisse advenir,
« Quand tu voudras, vieillard, quel que soit le lieu, l'heure,
2015 « S'il te passe à l'esprit qu'il est temps que je meure,
« Viens, sonne de ce cor, et ne prends d'autres soins.
« Tout sera fait. » — Ce pacte eut les morts pour témoins[1].
Eh bien, tout est-il fait?

HERNANI, *à voix basse.*

C'est lui!

LE MASQUE

Dans ta demeure
2020 Je viens, et je te dis qu'il est temps. C'est mon heure.
Je te trouve en retard.

HERNANI

Bien. Quel est ton plaisir?
Que feras-tu de moi? Parle.

LE MASQUE

Tu peux choisir.
Du fer ou du poison. Ce qu'il faut, je l'apporte.

1. Ce sont les termes mêmes de l'engagement pris par Hernani (III, VII, v. 1292-1296), devant les tableaux des ancêtres de don Ruy, pris à témoin par le vieux duc (v. 1296).

QUESTIONS

■ SUR LA SCÈNE IV. — Le pathétique de ces quelques vers où le héros, resté seul, mesure sa détresse. Comparez le vers 2011 au vers 1707 : comment Hernani prend-il conscience qu'il ne saurait échapper à la fatalité de son destin?
— Le fantastique dans l'apparition, presque surnaturelle, du domino noir.

Nous partirons tous deux.

HERNANI

Soit.

LE MASQUE

Prions-nous?

HERNANI

Qu'importe!

LE MASQUE

2025 Que prends-tu?

HERNANI

Le poison.

LE MASQUE

Bien! — Donne-moi ta main.

(Il présente une fiole à Hernani, qui la reçoit en pâlissant.)

Bois, — pour que je finisse.

(Hernani approche la fiole de ses lèvres, puis recule.)

HERNANI

Oh! par pitié, demain!

Oh! s'il te reste un cœur, duc, ou du moins une âme.
Si tu n'es pas un spectre échappé de la flamme,
Un mort damné, fantôme ou démon désormais,
2030 Si Dieu n'a point encor mis sur ton front : Jamais!
Si tu sais ce que c'est que ce bonheur suprême
D'aimer, d'avoir vingt ans, d'épouser quand on aime,
Si jamais femme aimée a tremblé dans tes bras,
Attends jusqu'à demain! Demain tu reviendras!

LE MASQUE

2035 Simple[1] qui parle ainsi! Demain! demain! — Tu railles!
Ta cloche a ce matin sonné tes funérailles!
Et que ferais-je, moi, cette nuit? J'en mourrais.
Et qui viendrait te prendre et t'emporter après?

1. *Simple :* naïf.

QUESTIONS

● VERS 2014-2027. L'effet produit sur le spectateur par l'apparition du masque, par son rappel du serment. — Hernani se révolte-t-il tout de suite? Pourquoi? Ce masque n'est-il pas aussi le symbole de la mort? Comparez avec l'effet qu'il a produit pendant la fête (V, I).

Seul descendre au tombeau! Jeune homme, il faut me [suivre.

HERNANI

2040 Eh bien, non! et de toi, démon, je me délivre!
Je n'obéirai pas.

LE MASQUE

Je m'en doutais. Fort bien.
Sur quoi donc m'as-tu fait ce serment?... Ah! sur rien!
Peu de chose, après tout! La tête de ton père!
Cela peut s'oublier. La jeunesse est légère.

HERNANI

2045 Mon père! Mon père!... Ah! j'en perdrai la raison!

LE MASQUE

Non, ce n'est qu'un parjure et qu'une trahison.

HERNANI

Duc!

LE MASQUE

Puisque les aînés des maisons espagnoles
Se font jeu maintenant de fausser leurs paroles,
Adieu!
(Il fait un pas pour sortir.)

HERNANI

Ne t'en va pas.

LE MASQUE

Alors...

HERNANI

Vieillard cruel!

(Il prend la fiole.)
2050 Revenir sur mes pas à la porte du ciel!

QUESTIONS

● VERS 2026-2039. Montrez la maladresse des arguments d'Hernani. Ne sont-ils pas plus destinés à raviver la sympathie des spectateurs qu'à convaincre le duc? Sont-ils excusables chez lui? Imaginez d'autres arguments qui pourraient peut-être avoir plus de poids et d'effet sur don Ruy. — Caractérisez l'attitude et les sentiments du vieillard. Sa jalousie instinctive n'est-elle pas presque pathologique?
● VERS 2040-2050. Par quels mots bien choisis don Ruy arrête-t-il la courte révolte d'Hernani? Montrez qu'il y a encore conflit de générations à propos des vers 2042-2044. Pourquoi Hernani est-il si touché par le rappel de son père? N'a-t-il pas déjà failli une fois à son égard? Quand et, justement, à quel propos?

(Rentre doña Sol, sans voir le masque, qui est debout, au fond.)

SCÈNE VI. — LES MÊMES, DOÑA SOL.

DOÑA SOL

Je n'ai pu le trouver, ce coffret.

HERNANI, *à part.*

Dieu! c'est elle!

Dans quel moment!

DOÑA SOL

Qu'a-t-il? je l'effraie, il chancelle

A ma voix!... Que tiens-tu dans ta main? Quel soupçon!

Que tiens-tu dans ta main? Réponds.

(Le domino s'est approché et se démasque. Elle pousse un cri et reconnaît don Ruy.)

C'est du poison!

HERNANI

2055 Grand Dieu!

DOÑA SOL, *à Hernani.*

Que t'ai-je fait? quel horrible mystère!

Vous me trompiez, don Juan!

HERNANI

Ah! j'ai dû te le taire.

J'ai promis de mourir au duc qui me sauva.

Aragon doit payer cette dette à Silva.

DOÑA SOL

Vous n'êtes pas à lui, mais à moi. Que m'importe[1]

2060 Tous vos autres serments!

(A don Ruy Gomez.)

1. *Importe :* absence d'accord grammatical, nécessité par la rime.

QUESTIONS

■ SUR L'ENSEMBLE DE LA SCÈNE V. — La valeur pathétique de cette scène : que manque-t-il cependant pour atteindre un sommet tragique?

— La révolte d'Hernani n'est-elle pas profondément humaine? Pensez-vous qu'il aurait pu se délier de son serment?

— Le chantage que fait le vieux duc : sa valeur morale (rapport entre l'intention profonde de don Ruy et les moyens employés pour parvenir à son but). Don Ruy n'est-il pas un peu noirci? Comment doit-il apparaître aux spectateurs? Dans quel dessein?

Duc, l'amour me rend forte.
Contre vous, contre tous, duc, je le défendrai.

DON RUY GOMEZ, *immobile.*

Défends-le, si tu peux, contre un serment juré.

DOÑA SOL

Quel serment?

HERNANI

J'ai juré.

DOÑA SOL

Non, non, rien ne te lie!
Cela ne se peut pas! Crime! attentat! folie!

DON RUY GOMEZ

2065 Allons, duc!
(Hernani fait un geste pour obéir. Doña Sol cherche à l'entraîner.)

HERNANI

Laissez-moi, doña Sol. Il le faut.
Le duc a ma parole, et mon père est là-haut!

DOÑA SOL, *à don Ruy Gomez.*

Il vaudrait mieux pour vous aller aux tigres même
Arracher leurs petits qu'à moi celui que j'aime!
Savez-vous ce que c'est que doña Sol? Longtemps,
2070 Par pitié pour votre âge et pour vos soixante ans,
J'ai fait la fille douce, innocente et timide.
Mais voyez-vous cet œil de pleurs de rage humide[1]?
(Elle tire un poignard de son sein.)
Voyez-vous ce poignard?... Ah! vieillard insensé,
Craignez-vous pas[2] le fer quand l'œil a menacé?
2075 Prenez garde, don Ruy!... Je suis de la famille,
Mon oncle! Écoutez-moi. Fussé-je votre fille,
Malheur si vous portez la main sur mon époux!
(Elle jette le poignard, et tombe à genoux devant le duc.)

1. Cet œil *humide* de pleurs de rage; 2. Voir vers 25 et la note.

QUESTIONS

● VERS 2051-2066. Le retour de doña Sol était-il prévisible? Appréciez ses reproches à Hernani au double point de vue de la vraisemblance psychologique et dramatique — Pourquoi doña Sol, tout instinct et amour, ne croit-elle pas à l'importance du serment? Comparez avec le point de vue masculin.

Ah! je tombe à vos pieds! Ayez pitié de nous!
Grâce! Hélas! monseigneur, je ne suis qu'une femme!
2080 Je suis faible, ma force avorte dans mon âme.
Je me brise aisément. Je tombe à vos genoux!
Ah! je vous en supplie, ayez pitié de nous!

DON RUY GOMEZ

Doña Sol!

DOÑA SOL

Pardonnez! Nous autres Espagnoles,
2085 Notre douleur s'emporte à de vives paroles,
Vous le savez. Hélas! vous n'étiez pas méchant!
Pitié! Vous me tuez, mon oncle, en le touchant!
Pitié, je l'aime tant!

DON RUY GOMEZ, *sombre.*

Vous l'aimez trop!

HERNANI

Tu pleures?

DOÑA SOL

Non, non, je ne veux pas, mon amour, que tu meures!
Non! je ne le veux pas.
(A don Ruy.)
Faites grâce aujourd'hui!
2090 Je vous aimerai bien aussi, vous.

DON RUY GOMEZ

Après lui!
De ces restes d'amour, d'amitié, moins encore,
Croyez-vous apaiser la soif qui me dévore?
(Montrant Hernani.)
Il est seul! il est tout! Mais moi, belle pitié!
Qu'est-ce que je peux faire avec votre amitié?
2095 O rage! il aurait, lui, le cœur, l'amour, le trône,
Et d'un regard de vous il me ferait l'aumône!
Et s'il fallait un mot à mes vœux insensés,

QUESTIONS

● VERS 2067-2088. Les deux mouvements de la tirade de doña Sol. Justifiez psychologiquement l'attitude de défi de doña Sol; pouvions-nous soupçonner en elle cette énergie révoltée? Est-elle adroite de rappeler sa passion? La prière est-elle plus efficace? Rappelez les autres passages de la pièce où apparaît ce mélange d'énergie, de tendresse et de faiblesse chez doña Sol.

C'est lui qui vous dirait : Dis cela, c'est assez!
En maudissant tout bas le mendiant avide
2100 Auquel il faut jeter le fond du verre vide!
Honte! dérision! Non. Il faut en finir.
Bois!

HERNANI

Il a ma parole, et je dois la tenir.

DON RUY GOMEZ

Allons!
(Hernani approche la fiole de ses lèvres. Doña Sol se jette sur son bras.)

DOÑA SOL

Oh! pas encor! Daignez tous deux m'entendre.

DON RUY GOMEZ

Le sépulcre est ouvert, et je ne puis attendre.

DOÑA SOL

2105 Un instant! Mon seigneur! Mon don Juan! Ah! tous deux,
Vous êtes bien cruels! Qu'est-ce que je veux d'eux?
Un instant! voilà tout, tout ce que je réclame!
Enfin, on laisse dire à cette pauvre femme
Ce qu'elle a dans le cœur!... Oh! laissez-moi parler!

DON RUY GOMEZ, *à Hernani.*

2110 J'ai hâte.

DOÑA SOL

Messeigneurs, vous me faites trembler!
Que vous ai-je donc fait?

HERNANI

Ah! son cri me déchire.

DOÑA SOL, *lui retenant toujours le bras.*

Vous voyez bien que j'ai mille choses à dire!

DON RUY GOMEZ, *à Hernani.*

Il faut mourir.

QUESTIONS

● VERS 2088-2104. — La maladresse du vers 2090. — Montrez les marques de passion extrême, de jalousie, d'égoïsme chez don Ruy; pourquoi se révèle-t-il si complètement à ce moment? Rapprochez l'intransigeance de ses principes et l'outrance de ses passions. En quoi est-ce un trait féodal et romantique à la fois? Analysez le langage du vieillard : images, expressions, rythme.

DOÑA SOL, *toujours pendue au bras d'Hernani.*

Don Juan, lorsque j'aurai parlé,
Tout ce que tu voudras, tu le feras.
(Elle lui arrache la fiole.)

Je l'ai!
(Elle élève la fiole aux yeux d'Hernani et du vieillard étonné.)

DON RUY GOMEZ

2115 Puisque je n'ai céans[1] affaire qu'à deux femmes,
Don Juan, il faut qu'ailleurs j'aille chercher des âmes.
Tu fais de beaux serments par le sang dont tu sors,
Et je vais à ton père en parler chez les morts!
— Adieu...
(Il fait quelques pas pour sortir. Hernani le retient.)

HERNANI

Duc, arrêtez!
(A doña Sol.)

Hélas! je t'en conjure,
2120 Veux-tu me voir faussaire, et félon, et parjure?
Veux-tu que partout j'aille avec la trahison
Écrite sur le front? Par pitié, ce poison,
Rends-le moi! Par l'amour, par notre âme immortelle!...

DOÑA SOL, *sombre.*

Tu veux?
(Elle boit.)

Tiens, maintenant!

DON RUY GOMEZ, *à part.*

Ah! c'était donc pour elle!

DOÑA SOL, *rendant à Hernani la fiole à demi vidée.*

2125 Prends, te dis-je!

---

1. *Céans* : voir vers 18 et la note.

QUESTIONS

● VERS 2105-2114. La nouvelle attitude de doña Sol : comment s'explique son sentiment d'impuissance et d'isolement en face des deux hommes? — Le geste du vers 2114 était-il prémédité? Est-il le résultat d'une brusque détermination?

● VERS 2115-2123. Le mépris de don Ruy; ses effets sur Hernani, sur doña Sol. — Pourquoi Hernani ne peut-il souffrir l'affront de ne pas tenir sa parole? Faites la part de la soumission à la fatalité et de l'exigence morale dans son attitude.

HERNANI, *à don Ruy.*

Vois-tu, misérable vieillard!

DOÑA SOL

Ne te plains pas de moi, je t'ai gardé ta part.

HERNANI, *prenant la fiole.*

Dieu!

DOÑA SOL

Tu ne m'aurais pas ainsi laissé la mienne,
Toi! Tu n'as pas le cœur d'une épouse chrétienne.
2130 Tu ne sais pas aimer comme aime une Silva.
Mais j'ai bu la première et suis tranquille. — Va!
Bois si tu veux!

HERNANI

Hélas! qu'as-tu fait, malheureuse?

DOÑA SOL

C'est toi qui l'as voulu.

HERNANI

C'est une mort affreuse!

DOÑA SOL

Non. Pourquoi donc?

HERNANI

Ce philtre[1] au sépulcre conduit.

DOÑA SOL

Devions-nous pas[2] dormir ensemble cette nuit?
2135 Qu'importe dans quel lit?

HERNANI

Mon père, tu te venges
Sur moi qui t'oubliais!

1. *Philtre* : breuvage magique; 2. Voir vers 25 et la note.

QUESTIONS

● Vers 2124-2136. Le but de doña Sol : montrez qu'elle a espéré écarter l'issue fatale; pourquoi y renonce-t-elle? Appréciez son calme (v. 2124), la réflexion de don Ruy, au même vers. La valeur pathétique des hésitations d'Hernani (v. 2126-2129). — Montrez qu'Hernani se souvient une dernière fois de la fatalité qui pesait sur sa jeunesse (v. 2136). N'avait-il pas tout de même raison d'admirer don Carlos et de pardonner? (acte IV, scène IV, v. 1765 et suiv.)

(Il porte la fiole à sa bouche.)

DOÑA SOL, *se jetant sur lui.*

Ciel! des douleurs étranges[1]!...
Ah! jette loin de toi ce philtre!... Ma raison
S'égare. Arrête! Hélas! mon don Juan, ce poison
Est vivant! ce poison dans le cœur fait éclore
2140 Une hydre[2] à mille dents qui ronge et qui dévore!
Oh! je ne savais pas qu'on souffrît à ce point!
Qu'est-ce donc que cela? c'est du feu! ne bois point!
Oh! tu souffrirais trop!

HERNANI, *à don Ruy.*

Ah! ton âme est cruelle!
Pouvais-tu pas[3] choisir d'autre poison pour elle?
(Il boit et jette la fiole.)

DOÑA SOL

2145 Que fais-tu?

HERNANI

Qu'as-tu fait?

DOÑA SOL

Viens, ô mon jeune amant,
Dans mes bras.
(Ils s'asseyent l'un près de l'autre.)
N'est-ce pas qu'on souffre horriblement?

HERNANI

Non.

DOÑA SOL

Voilà notre nuit de noce commencée!
Je suis bien pâle, dis, pour une fiancée?

HERNANI

Ah!

DON RUY GOMEZ

La fatalité s'accomplit.

HERNANI

Désespoir!
2150 O tourment! doña Sol souffrir, et moi le voir!

---

1. *Étrange :* extraordinaire; 2. *Hydre :* animal fabuleux, combattu par Hercule, dont les têtes repoussaient au fur et à mesure qu'Hercule les coupait; sens figuré : douleur sans cesse renaissante; 3. Voir vers 25 et la note.

Phot. Larousse.

« Ne le réveillez pas, seigneur duc de Mendoce. » (Vers 2164.)

LA DERNIÈRE SCÈNE D'*HERNANI*

Dessin de Louis Boulanger (1806-1867), une des nombreuses œuvres qu'a inspirées le dénouement d'*Hernani* aux artistes romantiques.

DOÑA SOL

Calme-toi. Je suis mieux. — Vers des clartés nouvelles
Nous allons tout à l'heure ensemble ouvrir nos ailes.
Partons d'un vol égal vers un monde meilleur.
Un baiser seulement, un baiser!
(Ils s'embrassent.)

DON RUY GOMEZ

O douleur!

HERNANI, *d'une voix affaiblie.*

2155 Oh! béni soit le ciel qui m'a fait une vie
D'abîmes entourée et de spectres suivie,
Mais qui permet que, las d'un si rude chemin,
Je puisse m'endormir ma bouche sur ta main!

DON RUY GOMEZ

Qu'ils sont heureux!

HERNANI, *d'une voix de plus en plus faible.*

Viens, viens... doña Sol... tout est sombre.
2160 Souffres-tu?

DOÑA SOL, *d'une voix également éteinte.*

Rien, plus rien.

HERNANI

Vois-tu des feux dans l'ombre?

DOÑA SOL

Pas encor.

HERNANI, *avec un soupir.*

Voici...

(Il tombe.)

DON RUY GOMEZ, *soulevant sa tête qui retombe.*

Mort!

DOÑA SOL, *échevelée, et se dressant à demi sur son séant.*

Mort! non pas! nous dormons.
Il dort. C'est mon époux, vois-tu. Nous nous aimons.
Nous sommes couchés là. C'est notre nuit de noce.

(D'une voix qui s'éteint.)

Ne le réveillez pas, seigneur duc de Mendoce[1].

2165 Il est las.

(Elle retourne la figure d'Hernani.)

Mon amour, tiens-toi vers moi tourné.

Plus près... plus près encor...

(Elle retombe.)

DON RUY GOMEZ

Morte! — Oh! je suis damné!

(Il se tue.)

1. Ce titre, apparemment insolite dans ce contexte, marque que doña Sol ne voit plus en lui un oncle mais un étranger hostile.

QUESTIONS

● VERS 2136-2166. Montrez que le pathétique ici est poussé à l'extrême. La force hallucinatoire de l'évocation, aux vers 2137-2143, des effets du poison; rapprochez de la peinture baroque détaillant cruellement les supplices des saints. — Comparez le duo d'amour du début de l'acte (v. 1895-1979) et celui-ci : différence de ton; lequel des deux est le plus émouvant? Montrez que les dernières paroles d'Hernani et de doña Sol sont des mots de passion et de joie. — Appréciez l'exclamation de don Ruy au vers 2159 : son amertume, sa justesse. Rapprochez-en l'exclamation du dernier vers. Montrez-en l'atroce lucidité; quel châtiment, terriblement cruel mais héroïque, représente sa mort?

■ SUR L'ENSEMBLE DE LA SCÈNE VI. — Composition de cette scène tourmentée. Montrez qu'elle est dominée par doña Sol, dont elle exprime la grandeur dans l'amour et le sacrifice.

— La psychologie des personnages. En quoi doña Sol révèle-t-elle un nouvel aspect de sa personnalité, tandis que don Ruy devient presque caricatural?

— Le pathétique violent de cette scène : en quoi est-elle théâtrale?

— Montrez que le lyrisme, ici, ou plutôt le duo d'amour, revêt une extraordinaire puissance d'émotion.

— Quelle comparaison peut-on établir entre cette scène et la scène IV de l'acte IV? La différence entre don Carlos et don Ruy.

■ SUR L'ENSEMBLE DE L'ACTE V. — Composition de cet acte : l'entrelacement des thèmes de l'amour et de la joie, de la mort et de la damnation.

— Montrez que la fin de chaque personnage est conforme à l'idée que nous nous sommes faite de lui, et que si leurs comportements paraissent irrationnels, leur incohérence même est le signe de leur vérité.

DOCUMENTATION THÉMATIQUE

réunie par la Rédaction des Nouveaux Classiques Larousse.

1. LA BATAILLE D'*HERNANI* : LES PRÉLIMINAIRES

Voici de très larges extraits des pages consacrées à *Hernani* dans *Victor Hugo raconté par un témoin de sa vie.* Rappelons que c'est Adèle Hugo qui a eu l'idée de ce récit à Paris, avant de rejoindre le poète à Jersey (1852); on lit dans une de ses lettres : « J'ai envie d'écrire l'*Histoire intime* de ta carrière politique et littéraire [...]. Je vais prier Toto [...] d'aller rechercher la série d'articles faits par *le Constitutionnel* sur *Hernani* [...]. » Mais le livre a été écrit — elle le rapporte elle-même — presque sous la dictée du poète. Nous nous sommes bornés, pour faciliter la consultation, à intercaler des sous-titres, suivis de quelques commentaires.

1.1. PREMIÈRE LECTURE ET DISTRIBUTION

L'interdiction de *Marion de Lorme,* dont il est question au début du passage, fut le fait de la censure, qui passera également au crible *Hernani.* Les censeurs avaient vu dans le personnage du roi Louis XIII une allusion au souverain régnant, Charles X. La pièce, terminée en 1829, ne fut représentée que le 11 août 1831 au théâtre de la Porte-Saint-Martin.

> M. Victor Hugo n'était pas de ceux qu'un échec décourage; il comprenait d'ailleurs que l'interdiction de *Marion de Lorme* profiterait à son prochain drame. La semaine suivante, il dînait chez M. Nodier avec le baron Taylor qui partait pour un voyage.
> « Quand serez-vous de retour? lui demanda M. Victor Hugo.
> — A la fin du mois.
> — Cela nous donne un peu plus de trois semaines. Eh bien, convoquez le comité pour le 1er octobre, je lirai quelque chose. »
> Le 1er octobre, il lut *Hernani*[1].
>
> La pièce, reçue par acclamation, fut distribuée immédiatement; doña Sol à Mlle Mars, Hernani à M. Firmin, don Ruy Gomez à M. Joanny, don Carlos à M. Michelot. Des bouts de rôle furent acceptés et sollicités par des comédiens de grand mérite : MM. Geffroy, Samson, Menjaud, etc.; les quelques vers du page Laquez furent pour Mlle Despréaux (depuis Mme Allan).
> Les premières répétitions se firent avec entrain, M. Michelot, sans aimer beaucoup la littérature nouvelle, était homme du

---

1. Ce fut en réalité le 5 octobre.

monde et de manières prévenantes. M. Firmin était sympathique au drame. M. Joanny, qui avait les cheveux blancs de don Ruy Gomez, était un ancien militaire qui avait perdu deux doigts en se battant sous les ordres du général Hugo. Il montrait à l'auteur sa main mutilée et lui disait avec une certaine emphase qui lui était naturelle : « Ma gloire sera d'avoir servi jeune sous le père et vieux sous le fils. »

1.2. Mlle MARS ET L'ART NOUVEAU

Situé chronologiquement entre la *Préface de « Cromwell »* (1827) et *Hernani, Henri III et sa cour,* drame en cinq actes et en prose d'Alexandre Dumas père, représenté à la Comédie-Française le 11 février 1829, marque une date dans l' « art nouveau », offrant au public un drame historique où abonde la couleur locale. *Henri III* obtint un succès populaire que Hugo, pourtant chef de file incontesté de l' « art nouveau », n'atteindra jamais.

Fille de comédiens, Mlle Mars (de son vrai nom Anne Françoise Boutet, 1779-1847) débuta à quinze ans et fut admise en 1799 dans la Société des Comédiens-Français ; pensionnaire en 1833, elle se retira en 1841. Elle triompha dans les rôles d'ingénues, et plus encore dans ceux des grandes coquettes, Célimène notamment. Si elle mit son talent au service du romantisme, ce ne fut pas, comme on va le voir, sans quelques réticences.

> L'art nouveau avait, d'ailleurs, été déjà essayé au Théâtre-Français, et y avait réussi. M. Alexandre Dumas venait de faire jouer son *Henri III*. Presque inconnu la veille, et n'ayant pas de passé qui suscitât les haines, il avait surpris le parti classique qui, non préparé, n'avait pu se défendre. Le public, livré à lui-même et las au fond d'entendre toujours la même tragédie et la même comédie éternellement refaites, et de plus en plus mal, s'était laissé aller au charme imprévu de ce drame alerte, jeune et d'un intérêt si vivant. Ç'avait été un triomphe sans lutte, une fête, une joie, un bonheur public.
>
> La froideur commença par Mlle Mars.
>
> Mlle Mars avait alors cinquante ans ; il était tout simple qu'elle aimât les pièces qu'elle avait jouées dans sa jeunesse et celles qui leur ressemblaient ; elle était hostile à la rénovation dramatique. Elle avait surtout accepté le rôle pour qu'il ne fût pas joué par une autre. *Henri III* avait prouvé que le drame pouvait réussir, *Hernani* avait produit à la lecture une grande impression, et elle ne se souciait pas de laisser à une camarade le bruit et les applaudissements possibles. Mais elle répétait doña Sol de l'air maussade, supérieur et un peu étonné d'une personne qui tombait de *la Fille d'honneur* et de *Valérie* dans *Hernani*. Trente-cinq ans de succès lui avaient donné dans le théâtre une toute-puissance qu'elle faisait peser

volontiers sur les auteurs. J'emprunte aux vivants *Mémoires* de M. Alexandre Dumas un épisode des répétitions d'*Hernani*[2].

« [...] Ces taquineries devinrent de jour en jour plus vives. Si indifférent que fût M. Victor Hugo à ces petites impertinences, il y eut un moment où sa dignité ne put plus les tolérer. A la fin d'une répétition, il dit à Mlle Mars qu'il avait à lui parler. Ils allèrent dans le petit foyer.

« Madame, dit M. Victor Hugo, je vous prie de me rendre « votre rôle. »

Mlle Mars pâlit. C'était la première fois de sa vie qu'on lui retirait un rôle. Jusque-là, on la suppliait de les accepter, et c'était elle qui les refusait. Elle sentit la perte de prestige qui pouvait résulter pour elle d'un fait pareil. Elle reconnut son tort et promit de ne plus recommencer.

Elle ne fut plus impertinente, en effet, mais elle fut muette. Elle protesta par une attitude glaciale. Son exemple refroidit les autres. A part M. Joanny, qui resta sympathique au moins en apparence, l'auteur se vit de jour en jour plus isolé. En outre, il se faisait à l'extérieur une opposition qui réagissait au-dedans. »

1.3. PREMIÈRES ATTAQUES DES AUTEURS DRAMATIQUES ET DE LA PRESSE

C'est le début de la bataille que retrace ici le « témoin ». Elle commence, on le voit, avant même que la pièce soit connue.

> Les auteurs tragiques et comiques supportaient malaisément ce nouveau venu qui menaçait leurs doctrines et leurs intérêts. Ils travaillaient d'avance contre ce démolisseur d'une littérature qui était la bonne, puisqu'elle était la leur. Ils écoutaient aux portes, provoquaient les indiscrétions, ramassaient çà et là quelques vers qu'ils défiguraient, racontaient des scènes en les caricaturant, en imaginaient au besoin, et faisaient bien rire les salons du prétendu chef-d'œuvre. Un auteur du Théâtre-Français fut surpris blotti dans l'ombre pendant une répétition. D'autres venaient chez M. Victor Hugo, se disaient ses grands admirateurs, lui arrachaient à force d'importunités une ou deux scènes, et allaient les colporter dénaturées. Un auteur tragique, académicien et censeur[3], qui avait lu la pièce comme censeur, était un des colporteurs les plus actifs; un de ses auditeurs, indigné, déféra le fait aux journaux. Le

---

2. On pourra lire ce récit dans son intégralité pp. 202-208; 3. Il s'agit de Charles Brifaut. Dans une lettre au *Moniteur* il fait à Hugo des excuses publiques en ces termes : « Je lui promis de ne plus répéter ses vers, quand ils pourraient prêter à la raillerie, l'assurant que je trouvais beaucoup plus de plaisir à citer les belles strophes ou les brillantes tirades qu'il crée avec une si heureuse facilité. »

censeur écrivit à M. Victor Hugo : « Que disent vos espions (il appelait les autres des espions) et les journaux qui vous soutiennent ? que j'ai révélé le secret de la comédie ? que j'ai cité vos vers en m'en moquant ? Eh bien, quand cela serait, où est mon tort ? Si je vous ai loué quand vous étiez louable, ne m'est-il pas permis de vous blâmer quand vous êtes blâmable ? Vos ouvrages sont-ils sacrés ? Doit-on les admirer ou se taire ? Vous ne le pensez pas, vous n'avez pas ce ridicule amour-propre. Vous savez que celui qui a franchement applaudi à vos premières odes est libre de condamner avec la même franchise vos drames nouveaux. J'ai blâmé, c'est vrai, le style de *Hernani.* »

La majorité des journaux attaquait la pièce. Les journaux ministériels regardaient M. Victor Hugo comme un déserteur depuis son *Ode à la colonne* et ne lui pardonnaient pas son refus de pension. Les feuilles libérales en politique avaient pour rédacteurs littéraires les auteurs mêmes que le drame venait déposséder. *Le Constitutionnel,* notamment, qui, quelques semaines auparavant, avait loué l'incorruptibilité de l'homme, fut le plus violent adversaire du poète.

Un théâtre alla jusqu'à parodier une pièce qui n'était pas représentée. Dans une revue des pièces de l'année, le Vaudeville livra aux éclats de rire la scène des tableaux. Don Ruy Gomez était un montreur d'ours.

1.4. LA CENSURE

Les censeurs de la Restauration avaient, disaient-ils, pour souci de « calmer les passions ». Dans une brochure de 1826 intitulée *la Liberté de la Presse,* Bonald, qui fut président de la commission de censure en 1828, écrivait que le gouvernement a le droit de « donner des juges à nos pensées comme il donnait des juges à nos intérêts et à nos actions ».

Autre inquiétude. Le manuscrit, envoyé à la censure, ne revenait pas. M. Victor Hugo y alla ; on lui dit que la commission avait lu la pièce et l'avait autorisée depuis quinze jours et que c'était le ministre qui la retenait. M. de la Bourdonnaye renvoya la pièce au théâtre « avec l'indication de quelques changements qui avaient été jugés nécessaires ». Ces changements altéraient les principales scènes ; l'auteur résista. On ne voulut pas recommencer l'affaire de *Marion de Lorme* et on lui laissa garder ses vers, mais il dut les disputer un à un. Je trouve une lettre où on lui rend trois mots :

« Monsieur, il m'est agréable d'avoir à vous annoncer que Son Excellence, faisant droit à vos observations que je me suis empressé de mettre sous ses yeux, a bien voulu consentir au rétablissement de quelques passages supprimés dans *Hernani*. Vous êtes donc autorisé à laisser subsister sur le manuscrit visé les expressions suivantes adressées à don Carlos : *Lâche, insensé, mauvais roi.*

« Agréez, etc.

Le maître des requêtes, chef du bureau des théâtres.

TROUVÉ. »

Mais le ministre ne consentit pas à ce vers :

Crois-tu donc que les rois à moi me sont sacrés ?

Hernani dut dire :

Crois-tu donc que pour nous il soit des noms sacrés ?

1.5. LA CLAQUE

Néron avait, dit-on, une armée de 5 000 jeunes gens pour l'applaudir lorsqu'il chantait dans l'amphithéâtre. Ce serait l'origine de la claque, qui ne débuta en France qu'au XVIIIe siècle. Le chef de claque recevait soit des appointements, soit un certain nombre de billets, qu'il revendait. On distinguait dans le personnel claquant les *intimes,* claqueurs réguliers qui entraient sans payer, les *solitaires,* qui, ayant acheté leur billet au chef de claque, évitaient ainsi de faire la queue.

L'hiver de 1829 à 1830 fut un des plus rigoureux dont on se souvienne. La Seine fut prise du 20 décembre à la fin février. M. Victor Hugo allait au théâtre en chaussons pour ne pas se casser les jambes en traversant les ponts. On lui apportait une chaufferette. Les acteurs grelottaient, les vers leur gelaient sur les lèvres, et ils se hâtaient de bredouiller leur scène pour aller se réchauffer au foyer. Cela n'avançait pas le travail, et les inimitiés avaient le temps de s'organiser.

Enfin, la pièce fut prête à passer. Attaquée comme elle le serait, elle avait besoin d'être énergiquement défendue. Le claqueur du théâtre avait trop longtemps applaudi M. Casimir Delavigne pour ne pas l'admirer et serait un mauvais combattant de l'insurrection contre le répertoire qui l'avait enrichi. Le commissaire royal proposa le claqueur du Gymnase, qui lui avait des obligations personnelles et dont il croyait pouvoir répondre. Il est vrai que celui-là applaudissait M. Scribe.

« Choisissez, dit le commissaire.

— Je choisis personne.

— Comment ! il n'y aura pas de claque ?

— Il n'y aura pas de claque. »

Quand ce bruit se répandit dans le théâtre, tout le monde demanda à M. Victor Hugo s'il était fou. Aucune pièce ne pouvait se passer de la claque : la sienne était plus menacée qu'une autre ; si elle n'était pas fortement soutenue, elle n'irait pas jusqu'à la fin. Il répliquait que d'abord les applaudissements salariés lui répugnaient, qu'ensuite les défenseurs de l'ancien genre seraient peu ardents pour le genre contraire, que les claqueurs de M. Delavigne ni les claqueurs de M. Scribe n'étaient les siens, qu'à une forme nouvelle il fallait un public nouveau, que son public devait ressembler à son drame, que, voulant un art libre, il voulait un parterre libre, qu'il inviterait les jeunes gens, poètes, peintres, sculpteurs, musiciens, imprimeurs, etc. — On fut unanime à lui donner tort et on fit ce qu'on put pour le faire changer de résolution ; mais il persista, et l'on céda, en lui laissant la responsabilité de la représentation.

1.6. DEMANDES DE PLACES

Si la claque a disparu (du moins en tant qu'institution) au début de notre siècle, la pratique des billets de faveur est loin d'être tombée en désuétude.
Notons que Lizinska de Mirbel, dont le « témoin » cite la lettre, était le peintre attitré de Louis XVIII et de Charles X.

La curiosité était surexcitée et la demande de location était énorme. A chaque instant l'auteur recevait des lettres comme celles-ci :

« Je viens, monsieur, vous adresser une requête peut-être indiscrète, et, ce que je crains plus encore, peut-être tardive. Mme B. Constant et moi, nous aurions comme toute la France un vif désir de voir *Hernani*. Y aurait-il moyen d'avoir une loge ou deux places dans une loge ? Ou, si cela était impossible, pourrions-nous assister à une répétition ? Veuillez, dans le cas où la loge ou les deux places seraient encore possibles à obtenir, me dire où je dois envoyer pour m'en assurer en remettant le prix, et, dans le second, ce qu'il y a à faire pour être admis à la répétition. Vous verrez, j'espère, dans mon importunité, une suite bien naturelle de l'empressement que nous éprouvons avec tout le public.

« Agréez, avec l'hommage de mon admiration pour votre beau talent, l'assurance de mon attachement bien sincère et de ma haute considération.

Benjamin CONSTANT. »

« Ce 12 janvier 1830.

« Un malentendu dont il serait trop ennuyeux pour vous, monsieur, de connaître les détails me prive des places sur lesquelles je croyais pouvoir compter dans la loge que M. de Fitz-James a obtenue de vous. Pouvez-vous réparer un malheur qui serait réel pour moi, celui de ne point être des premiers à admirer, à applaudir *Hernani?* A défaut d'une loge entière, il me faudrait trois places dans une loge désignée ou à des stalles numérotées et l'une contre l'autre. Enfin, monsieur, tous les moyens me sembleront bons pour aller assister à votre triomphe.

« Veuillez trouver ici la nouvelle assurance de mes sentiments d'estime et d'admiration.

Lizinska de MIRBEL. »

« Monsieur,

« J'ai fait de vains efforts pour me procurer une loge louée pour la première représentation d'*Hernani*. On m'a dit, monsieur, que vous auriez la bonté de m'en procurer une; je vous serai très obligé si vous le pouvez, et je vous en fais d'avance mes remerciements. Je souhaiterais, s'il est possible, qu'elle fût de six places, et des moins élevées.

« Recevez, etc.

A. THIERS. »

« 13 février 1830.

« L'univers s'adresse à moi pour avoir des loges et des stalles; je ne vous parle que des demandes que me font des *sommités intellectuelles,* comme dirait *le Globe*. Mme Récamier me demande si, par mon entremise, etc. Voyez ce que vous pouvez faire. Vous savez qu'elle a une certaine influence dans certain monde. J'ai dit qu'il était impossible d'avoir une loge. Alors elle m'a demandé s'il était possible d'avoir deux bonnets d'évêque. Où la vertu va-t-elle se nicher?

« Tout à vous.

MÉRIMÉE. »

1.7. ESCARMOUCHES ET PRÉPARATIFS DE DERNIÈRE HEURE

Le « témoin », dans les pages qui suivent, fait allusion à plusieurs journaux : *la Quotidienne,* un des principaux organes royalistes sous la Restauration, le *Journal des débats,* libéral, auquel collabora Chateaubriand, et *le Globe,* fondé en 1824, où se formait le personnel politique de la monarchie de Juillet.

Dans la semaine qui précéda la représentation, les journaux s'occupèrent beaucoup du drame, et excitèrent vivement leurs lecteurs, la plupart contre, quelques-uns pour. Les feuilles ministérielles essayaient d'amoindrir le bruit. *La Quotidienne* disait :

« On annonce pour demain la première représentation d'*Hernani*. Nous ne savons pas si les gens qui, *avant de voir et d'entendre,* se sont déclarés contre la pièce nouvelle ont fait une ligue pour en amener la chute, mais il est certain que les amis de l'auteur s'emploient de leur mieux pour préserver de tout encombre le succès de son drame. On le conçoit, s'il est vrai qu'ils regardent cette affaire comme une question de vie ou de mort pour le romantisme [...]. Quoi qu'il en soit, le *Journal des débats,* pénétré de l'importance de l'affaire en litige, oublie aujourd'hui ses propres soucis, et, laissant un instant le soin de sa défense personnelle, se hâte d'accepter avec résignation la semonce du *Globe,* pour se ménager une place qu'il consacre à la cause d'*Hernani,* d'*Hernani* qui, dit-il, *soulève déjà tant de passions, tant de haines, tant d'acharnement, et risque d'être choisi pour champ de bataille par tant d'intérêts opposés.* Nous, qui sommes bien loin de désirer qu'*Hernani* soit *choisi pour champ de bataille,* et qui ne croyons pas que ce soit l'intention de l'auteur, nous trouvons qu'il y a imprudence de la part de ses amis à s'efforcer de donner à une question toute littéraire une sorte d'importance politique. MM. des *Débats* ont trouvé le moyen d'amener sur ce terrain et M. Martignac et M. de la Bourdonnaye, et l'ancien et le nouveau ministère, qui assurément n'ont jamais songé ni à défendre, ni à attaquer, ni même à modifier le drame de M. Hugo. De quelque importance que soit la représentation d'*Hernani* pour la république des lettres, la monarchie française ne peut avoir à s'en inquiéter. »

Tous les amis de l'auteur et tous ceux qui désiraient le triomphe de l'art nouveau étaient venus s'offrir. MM. Louis Boulanger, Théophile Gautier, encore presque enfant par l'âge et déjà homme par le talent, Gérard de Nerval, Vivier, Ernest de Saxe-Cobourg, fils naturel du duc régnant, Achille et Eugène Devéria, Français, Célestin Nanteuil, Edouard Thierry, Pétrus Borel et ses deux frères, Achille Roche, qui eût été un peintre célèbre s'il ne s'était noyé dans le Tibre, accoururent des premiers. Ils battirent le rappel dans la littérature, dans la musique, dans les ateliers de peinture, de sculpture et d'architecture. Ils revinrent avec des listes de noms qu'ils avaient recrutés, et demandèrent à conduire chacun leur tribu au combat. J'ai retrouvé une liste des tribus Gautier, Gérard, Pétrus Borel, etc. J'y lis les noms suivants : Balzac, Berlioz, Cabat, Augustus Mac-Keat (Auguste Maquet), Préault, Jehan du Seigneur, Joseph Bouchardy, Philadelphe O'Neddy, Gigoux, Laviron, Amédée Pommier, Lemot, Piccini, Ferdinand Langlé, Tolbecque, Tilmant, Kreutzer, etc., mêlés d'appellations collectives : l'atelier d'architecture de Garnaud, 13 places ; l'atelier d'architecture de Labrouste, 5 ; l'atelier d'architecture de Duban, 12, etc. M. Victor Hugo acheta plusieurs mains de papier rouge, et coupa les feuilles en petits carrés sur lesquels il imprima avec une griffe le mot espagnol qui veut dire « fer » : *hierro.*

Il distribua ces carrés aux chefs de tribu. Le théâtre lui abandonnait l'orchestre des musiciens, les secondes galeries et le parterre moins une cinquantaine de places.

2. LA BATAILLE D'*HERNANI* : LA PREMIÈRE

2.1. UN SCANDALE AVANT LES TROIS COUPS

Dans ce récit haut en couleur apparaît le fameux gilet rouge de Théophile Gautier, une des images d'Épinal du romantisme militant.

Pour bien combiner leur plan stratégique et bien assurer leur ordre de bataille, les jeunes gens demandèrent à entrer dans la salle avant le public. On le leur permit, à condition qu'ils seraient entrés avant qu'on ne fît la queue. On leur donna jusqu'à trois heures. C'eût été bien si on les avait laissés monter, comme faisaient les claqueurs, par la petite porte de l'obscur passage maintenant supprimé. Mais le théâtre, qui apparemment ne désirait pas les cacher, leur assigna la porte de la rue Beaujolais, qui était la porte royale ; de crainte d'arriver trop tard, les jeunes bataillons arrivèrent trop tôt, la porte n'était pas ouverte, et dès une heure les innombrables passants de la rue Richelieu virent s'accumuler une bande d'êtres farouches et bizarres, barbus, chevelus, habillés de toutes les façons, excepté à la mode, en vareuse, en manteau espagnol, en gilet à la Robespierre, en toque à la Henri III, ayant tous les siècles et tous les pays sur les épaules et sur la tête en plein Paris, en plein midi. Les bourgeois s'arrêtaient stupéfaits et indignés. M. Théophile Gautier surtout insultait les yeux par un gilet de satin écarlate et par l'épaisse chevelure qui lui descendait jusqu'aux reins.
La porte ne s'ouvrait pas ; les tribus gênaient la circulation, ce qui leur était fort indifférent, mais une chose faillit leur faire perdre patience. L'art classique ne put voir tranquillement ces hordes de barbares qui allaient envahir son asile ; il ramassa toutes les balayures et toutes les ordures du théâtre, et les jeta des combles sur les assiégeants. M. de Balzac reçut pour sa part un trognon de chou. Le premier mouvement fut de se fâcher ; c'était peut-être ce qu'avait espéré l'art classique ; le tumulte aurait amené la police, qui aurait saisi les perturbateurs, et les perturbateurs auraient été naturellement les lapidés. Les jeunes gens sentirent que le moindre prétexte serait bon, et ne le donnèrent pas.
La porte s'ouvrit à trois heures et se referma. Seuls dans la salle, ils s'organisèrent. Les places réglées, il n'était encore guère que trois heures et demie ; que faire jusqu'à sept ? On causa, on chanta, mais la conversation et les chants s'épuisent.

Heureusement qu'on était venu trop tôt pour avoir dîné, alors on avait apporté des cervelas, des saucissons, du jambon, du pain, etc. On dîna donc, les banquettes servirent de tables et les mouchoirs de serviettes. Comme on n'avait que cela à faire, on dîna si longtemps qu'on était encore à table quand le public entra. A la vue de ce restaurant, les locataires des loges se demandèrent s'ils rêvaient. En même temps leur odorat était offensé par l'ail des saucissons. Ceci n'était rien encore ; mais, sur tant d'hommes, il y en avait nécessairement qui avaient éprouvé d'autres besoins que ceux de l'estomac ; ils avaient cherché à quel endroit de la maison de Molière on pouvait « expulser le superflu de la boisson » ; les ouvreuses, n'étant pas encore arrivées, n'avaient pu leur ouvrir ; ils avaient essayé d'aller sur le théâtre, la porte de communication était fermée, la toile baissée, et il y avait défense absolue de passer. Enfermés pendant des heures, plusieurs n'y avaient pas tenu et s'en étaient allés tout en haut dans le coin le plus sombre. Mais ce coin sombre s'était tout à coup éclairé à l'heure du public ; on a vu, par la lettre de M. Mérimée, que ce jour-là les femmes les plus élégantes montaient jusqu'aux bonnets d'évêques ; on juge du scandale que dut faire cette humidité où passèrent les robes de soie et les souliers de satin. Quand M. Victor Hugo arriva au théâtre, il trouva les employés souriant et le commissaire royal bouleversé.

« Qu'y a-t-il donc ? demanda-t-il.

— Il y a que votre drame est mort et que ce sont vos amis qui l'ont tué. »

M. Victor Hugo, instruit de l'incident, dit que ce n'était pas la faute de ses amis, mais de ceux qui les avaient enfermés pendant quatre heures. Au moins, Mlle Mars ne savait rien ; le baron Taylor avait eu soin de recommander que la chose lui fût cachée. L'auteur alla dans sa loge.

« Eh bien, lui dit-elle pour premier mot, vous avez de jolis amis ! Vous savez ce qu'ils ont fait ! »

La recommandation de M. Taylor n'avait pas empêché les ennemis de la pièce d'aller lui raconter tout. Elle était furieuse.

« J'ai joué devant bien des publics, dit-elle, mais je vous devrai d'avoir joué devant celui-là. »

M. Victor Hugo répéta à l'actrice ce qu'il avait dit au commissaire royal, et alla dans les coulisses. Acteurs, figurants, machinistes, régisseurs, avaient passé de la froideur à l'hostilité. Seul, M. Joanny vint à lui, et, superbe dans son costume de don Ruy Gomez, lui dit :

« Ayez confiance ! pour ma part, je ne me suis jamais senti si en train. »

M. Victor Hugo regarda par le trou de la toile. Du haut en bas, la salle n'était que soie, bijoux, fleurs, épaules nues. Dans ce resplendissement, deux masses sombres, au parterre et aux secondes galeries, agitaient d'abondantes crinières.

2.2. LES QUATRE PREMIERS ACTES

Le récit de la représentation est un véritable reportage qui rend tout commentaire superflu.

On frappa les trois coups. L'auteur vit lever la toile avec le serrement de cœur de celui qui livre à l'inconnu sa pensée et peut-être son avenir. La petite scène de don Carlos avec Josepha passa sans encombre; puis doña Sol entra. Les jeunes gens, peu au fait des habitudes théâtrales, et d'ailleurs médiocrement enthousiastes de Mlle Mars, négligèrent de lui faire la réception à laquelle ses entrées étaient accoutumées, et son public à elle, qui lui en voulait de jouer un drame, ne répara pas leur négligence. Ce silence insolite la déconcerta un peu. — M. Firmin, qui n'avait plus l'âge d'Hernani, mais qui était toujours jeune d'ardeur et de verve, dit très bien ces vers :

O l'insensé vieillard, qui, la tête inclinée,
Pour achever sa route...
Vieillard! va-t'en donner mesure au fossoyeur!

L'orchestre des musiciens, le parterre et la seconde galerie battirent des mains, mais sans écho dans le reste de la salle.

Au second acte, à ce dialogue entre don Carlos et Hernani :

— Mon maître,
Je vous tiens de ce jour sujet rebelle et traître...
Je vous fais mettre au ban de l'empire.
— A ton gré.
J'ai le reste du monde où je te braverai.
Il est plus d'un asile où ta puissance tombe.
— Et quand j'aurai le monde?
— Alors j'aurai la tombe.

Quelques loges se mêlèrent à l'applaudissement. À chaque scène qui passait sans opposition, les acteurs et les gens du théâtre détendaient la roideur de leurs attitudes; après le second acte, ils souriaient à l'auteur, et quelques-uns admiraient la pièce de bonne foi.
Mais le vrai danger n'était pas franchi; l'endroit redoutable était la scène des tableaux, désignée d'avance au rire par la parodie du Vaudeville. Le troisième acte commença bien. Les vers de don Ruy Gomez à doña Sol :

Quand passe un jeune pâtre, etc.,

dits par M. Joanny avec une fierté mélancolique, touchèrent les femmes, et il y en eut qui applaudirent. M. Ernest de Saxe-Cobourg cria : Vivent les femmes! M. Joanny avait une sorte de gaucherie hautaine et de noblesse familière qui allait à merveille au personnage. Il aborda grandement la file des portraits et fut suivi par le public attentif jusqu'au sixième ; mais là, il y eut résistance à avancer plus loin, et commencement de murmures. Deux de plus, on sifflait ; le vers : *J'en passe, et des meilleurs!* sauva tout. Le dernier portrait fut salué d'acclamations, qui redoublèrent quand don Ruy aime mieux livrer sa vie et sa fiancée que son hôte qu'il sait son rival. Dès lors, il n'y eut plus personne dans les coulisses qui eût jamais douté de la pièce. — Le succès fut décidé par le monologue de Charles Quint au quatrième acte ; cet immense monologue, interrompu à chaque vers par les bravos, finit dans une explosion de salves interminables.

2.3. *HERNANI* VENDU SUR LE COMPTOIR

Les salves duraient encore, quand on vint dire à l'auteur que quelqu'un le demandait. Il y alla et vit un petit homme à ventre arrondi et à regard ouvert.

« Je m'appelle Mame, dit le petit homme ; je suis l'associé de M. Baudoin, l'éditeur... Mais nous sommes mal ici pour causer. Voudriez-vous venir une minute dehors? »

Quand ils furent dans la rue :

« Voilà, dit-il. Nous sommes dans la salle, M. Baudoin et moi, et nous avons envie de publier *Hernani.* Voulez-vous nous le vendre?

— Combien?

— Six mille francs.

— Nous en recauserons après la représentation.

— Pardon, insista le libraire, mais je tiendrais à terminer tout de suite.

— Pourquoi? Vous ne savez pas ce que vous achetez. Le succès peut diminuer.

— Oui, mais il peut augmenter. Au second acte, je pensais vous offrir deux mille francs ; au troisième, quatre mille ; je vous en offre six mille au quatrième ; après le cinquième, j'aurais peur de vous en offrir dix mille.

— Eh bien, soit, dit M. Victor Hugo en riant, puisque vous avez cette peur de mon drame, je vous le donne. Venez chez moi demain matin et nous signerons.

— Si cela vous était égal, j'aimerais autant signer tout de suite. J'ai les six mille francs sur moi.

— Je veux bien, mais comment faire? Nous sommes dans la rue.

— Voici un bureau de tabac. »

Le libraire y entra avec l'auteur, acheta une feuille de papier timbré, demanda une plume et de l'encre ; le traité fut écrit et signé sur le comptoir, et M. Victor Hugo reçut l'argent, qui ne lui fut pas inutile, car il n'avait plus chez lui que cinquante francs[4].

Cette parenthèse dans le récit de la représentation ne doit pas faire passer Hugo pour peu intéressé en matière de droits d'auteurs ; comme le dit H. Guillemin : « Acharné, méthodique, il se construira, par ses livres et par son théâtre, une fortune qui ne doit rien à l'exploitation d'autrui. »

2.4. L'ACTE DE Mlle MARS

On remarquera entre autres, dans la suite de ce récit, une intéressante notation sur l'importance du décor.

Il remonta aussitôt au théâtre et vit, au respect universel, que le succès n'avait pas baissé. Le quatrième acte s'achevait. MM. Michelot, Joanny, Firmin, rayonnaient ; leurs trois rôles s'étaient partagé le succès ; pendant les quatre premiers actes, doña Sol est au second plan. M. Victor Hugo jugea nécessaire d'aller voir Mlle Mars.
Il la trouva aigre et sèche. Elle fit d'abord semblant de ne pas le voir. Elle continua de quereller son habilleuse :
« Qu'avez-vous donc aujourd'hui? Je ne serai jamais prête. Mais, voyons, mon blanc! Il y a une heure que je vous le demande. Mais aussi ma loge ne désemplit pas ! on ne sait plus où l'on en est dans toutes ces visites !... Ah ! vous voilà, monsieur Hugo. »
Et, tout en se couvrant la poitrine de blanc :
« Mais savez-vous que ça va très bien, votre pièce ; — au moins pour vous et pour ces messieurs.
— Nous voici à votre acte, madame.
— Oui, je commence quand la pièce finit. Dites donc, vos beaux amis, je ne les aurai pas beaucoup fatigués. Savez-vous que c'est la première fois que je n'ai pas été applaudie à mon entrée?
— Mais comme vous allez l'être à votre rappel !
— Enfin, dit-elle en prenant l'air d'une victime résignée, du moment que j'ai accepté ce rôle-là, je devais m'attendre à ce succès-là. »
Lorsqu'elle parut dans sa robe de satin blanc, sa couronne de roses blanches sur le front, avec ses dents éclatantes, avec sa taille qui avait toujours dix-huit ans, elle fit un effet de jeunesse et de beauté. Le décor était charmant ; la terrasse où causaient les masques, le palais illuminé, les jardins où luisaient vaguement les jets d'eau, le mouvement de la fête, la musique

4. Hugo idéalise quelque peu; en fait, le traité ne fut signé que le 2 mars.

des danses, puis le silence et les jeunes mariés restés seuls tous deux, tout avait disposé favorablement la salle, et lorsque Mlle Mars dit ces vers auxquels s'alliait si bien sa voix musicale :

> La lune tout à l'heure à l'horizon montait;
> Tandis que tu parlais, sa lumière qui tremble
> Et ta voix, toutes deux, m'allaient au cœur ensemble.
> Je me sentais joyeuse et calme, ô mon amant,
> Et j'aurais bien voulu mourir en ce moment!

elle n'eut plus rien à envier à « ces messieurs ».
Tout le cinquième acte donna raison à la précipitation du libraire Mame. Quand M. Joanny ôta le masque sous lequel don Ruy Gomez a assisté à la noce, la face de spectre qu'il montra fit une impression de terreur; il y eut dans toute la scène une rigidité sépulcrale qui faisait froid. Mlle Mars lui disputa la vie de Hernani avec une énergie dont on n'aurait pas cru Célimène capable. Elle fut vraiment violente en menaçant don Ruy :

> Il vaudrait mieux pour vous aller aux tigres même
> Arracher leurs petits qu'à moi celui que j'aime...
> Voyez-vous ce poignard?... Ah! vieillard insensé,
> Craignez-vous par le fer quand l'œil a menacé?
> Prenez garde, don Ruy!... Je suis de la famille,
> Mon oncle!

Le dénouement fut un enivrement; il y eut une pluie de bouquets aux pieds de Mlle Mars; le nom de l'auteur fut acclamé même par les loges; cinq ou six seulement restèrent muettes; pas une ne protesta.
M. Victor Hugo alla faire à la grande actrice les compliments qu'elle méritait. Sa loge était encombrée, mais cette fois elle ne se plaignit pas de la foule. Elle était radieuse, son rôle était superbe, le drame était un chef-d'œuvre.
« Eh bien! dit-elle, vous n'embrassez pas votre doña Sol? »
Et doña Sol tendit à l'auteur la joue de Mlle Mars.

3. LA BATAILLE D'*HERNANI* : APRÈS LA PREMIÈRE

3. LA BATAILLE CONTINUE

Précieux témoin de la vie élégante au temps du romantisme, le graveur Achille Devéria (1800-1857) se trouve tout naturellement dans le salon de Hugo. On connaît le portrait qu'il fit du poète.

M. Victor Hugo était attendu à la porte du théâtre par une troupe d'amis qui voulurent le reconduire. En arrivant chez

lui, il trouva son salon plein. La rue Notre-Dame-des-Champs s'étonnait d'être si bruyante à une heure du matin. M. Achille Devéria dit qu'il ne voulait pas dormir dans une nuit pareille, et alla faire un dessin de la dernière scène [...].
La première représentation avait eu lieu un samedi ; le lundi, jour de la seconde, les feuilletons parurent. Sauf celui du *Journal des débats,* tous étaient hostiles. Ils s'en prenaient au drame et à son public ; l'auteur avait amené des spectateurs dignes de sa pièce, des espèces de bandits, des individus incultes et déguenillés, ramassés dans on ne savait quels bouges, qui avaient fait d'une salle respectée une caverne nauséabonde ; ils s'y étaient livrés à une orgie qui avait eu des conséquences immondes ; ils avaient entonné, les journaux libéraux disaient des chants obscènes, les journaux royalistes disaient des chants impies ; le temple était à jamais profané, et Melpomène était dans un état pitoyable.
Le commissaire royal accourut chez l'auteur. Il était fort inquiet ; évidemment, cette unanimité des journaux allait redonner de l'élan aux inimitiés domptées l'avant-veille, et il y aurait bataille le soir. Puisque M. Victor Hugo ne voulait pas de claqueurs, il fallait que ses amis revinssent défendre la deuxième représentation comme la première. Il ne fut pas nécessaire d'aller les chercher ; les chefs de tribu n'eurent pas plus tôt lu les feuilletons qu'ils vinrent d'eux-mêmes ; ils comprenaient que la lutte n'était pas finie et que la soirée allait être rude ; ils en étaient ravis ; ils trouvaient qu'ils avaient réussi trop aisément le premier jour, et ils n'auraient été qu'à moitié contents de vaincre sans combattre.

3.2. LES DEUX REPRÉSENTATIONS SUIVANTES

Sous la verve du récit transparaît parfois peut-être un reste de rancœur et l'orgueil d'avoir joué un rôle prépondérant dans la victoire de l' « art nouveau ».

> La rue Beaujolais s'emplit dès midi de badauds qui espéraient le spectacle des bandes étranges promises par les journaux. Mais le théâtre n'exigea plus que les jeunes gens entrassent par la porte du roi et qu'ils fussent en prison pendant quatre heures. Ils entrèrent, un peu avant l'ouverture des bureaux, par la petite porte du passage. Il n'y eut donc ni chansons, ni saucissons à l'ail, ni le reste. Il n'y eut que l'excentricité des costumes, qui, du reste, suffit amplement à l'horripilation des loges. On se montrait avec horreur M. Théophile Gautier dont le gilet flamboyant éclatait ce soir-là sur un pantalon gris tendre orné au côté d'une bande de velours noir, et dont les cheveux s'échappaient à flots d'un chapeau plat à larges bords. L'impassibilité de sa figure régulière et pâle, et le sang-froid

avec lequel il regardait les honnêtes gens des loges, démontraient à quel degré d'abomination et de désolation le théâtre était tombé.

Au moment où la toile allait se lever, il se passa un fait qui se renouvela depuis à toutes les pièces de M. Victor Hugo; un essaim de petits papiers blancs s'abattirent des hauteurs sur les premières loges, sur le balcon et sur l'orchestre. Ces petits papiers s'attachaient aux habits, se collaient sur les nez, s'attachaient aux boucles des chevelures féminines, se glissaient dans les corsages; toute la salle se mit à se secouer et à s'éplucher. Ce fut un nouveau grief contre *Hernani*. Quel était l'auteur de ces papiers? Etait-ce un ennemi? Etait-ce un haïsseur outré des bourgeois qui les irritait, d'abord pour les irriter, et ensuite pour les inviter au combat, comme le picador excite le taureau? La question n'a jamais été résolue.

On sentit dès les premiers mots qu'un orage grondait sourdement. Il éclata dès le premier acte. Ce vers :

> Nous sommes trois chez vous! C'est trop de deux, madame,

fut accueilli par un rire immense de toute la première galerie et des stalles d'orchestre. Le rire redoubla au vers :

> Oui, de ta suite, ô roi! de ta suite! — J'en suis.

Une bonne fortune des loges fut qu'au lieu de dire le vers comme il est écrit, M. Firmin dit :

> Oui, de ta suite, ô roi! — De ta suite j'en suis.

Ce « de ta suite j'en suis! » fut une joie qui se prolongea bien longtemps après ce soir-là; pendant des mois, les classiques ne s'abordaient qu'en disant : « De ta suite j'en suis! » et ils avaient un moment de douce hilarité.

On pense bien que ces éclats de rire étaient vaillamment relevés par la jeunesse; ricanements et applaudissements se croisèrent et la mêlée s'engagea. Au second acte, à ce passage :

> Quelle heure est-il?
>
> — Minuit.

ce roi qui demandait l'heure, et qui, pour la demander, disait : quelle heure est-il? qui disait cela en vers, et à qui l'on répondait, toujours en vers, qu'il était minuit, quand il eût été si simple de lui répondre :

> Du haut de ma demeure,
>
> Seigneur, l'horloge enfin sonne la douzième heure.

tout cela parut naturellement intolérable, et le rire devint une huée. Les jeunes gens se fâchèrent un peu, et imposèrent silence avec une telle résolution que la scène entre Hernani et le roi fut écoutée sans trouble et réussit plus encore que la première fois. M. Joanny, très ferme devant l'opposition, sauva, en la disant hardiment, la scène des portraits ; il eut un geste irrésistible pour offrir sa tête au roi :

J'ai promis l'une ou l'autre
N'est-il pas vrai, vous tous ? Je donne celle-ci.

Par contre, le monologue de Charles Quint, tant applaudi le samedi, fut couvert de moqueries.

... Eteins-toi, cœur jeune et plein de flamme !
Laisse régner l'esprit, que longtemps tu troublas.
Tes amours désormais, tes maîtresses, hélas !
C'est l'Allemagne, c'est la Flandre, c'est l'Espagne.

Rire plus fort.

Mais tu l'as, le plus doux et le plus beau collier,
Celui que je n'ai pas, qui manque au rang suprême,
Les deux bras d'une femme aimée et qui vous aime !

Eclats de rire.

La fête masquée et les airs de danse du cinquième acte plurent un moment au beau monde ; mais lorsque doña Sol, après avoir voulu fuir la musique, souhaite d'entendre un chant dans la nuit, et qu'Hernani lui dit :

... Capricieuse !

le mot sembla très drôle, et les ricanements reprirent pour ne plus cesser.
Les journaux du lendemain racontèrent les ricanements, et oublièrent d'ajouter qu'ils avaient été écrasés d'applaudissements : — On avait fait justice de ce drame scandaleux ; maintenant c'était une affaire finie ; il n'en serait plus question, Dieu merci! Au reste, il n'avait pas même excité la curiosité ; dès la seconde représentation, la salle était à moitié vide, etc.
Il y avait eu, en effet, des places vides, notamment deux loges de galerie de face, ce qui avait étonné la foule, entassée partout ailleurs, et encore plus l'auteur, qui savait que toutes les loges étaient louées. Il voulut savoir quels étaient ces locataires qui avaient payé pour ne pas venir, et il sut que c'était le frère de l'avoué d'un auteur du théâtre, fort célèbre alors.
La troisième représentation fut plus troublée encore que la seconde. Mais l'opposition se contenta encore de ricaner ; seulement, elle ricana plus souvent. L'auteur avait encore tous ses amis, qui firent à chaque huée une vigoureuse réplique d'enthousiasme.

3.3. LA LUTTE SÉRIEUSE

Ce passage, on le verra, contient encore quelques-unes des images d'Epinal de la bataille d'*Hernani*.

Mais, après trois représentations, M. Victor Hugo rentrait dans l'usage des auteurs et n'allait plus avoir que quelques places à donner. Les acteurs réclamaient la claque, laquelle serait peu fervente pour une pièce qui l'avait expulsée. Le commissaire royal, toujours dévoué à l'art nouveau, prit sur lui de donner à l'auteur cent places par représentation.

Cent places contre quinze cents, c'était dans ces termes qu'allait maintenant se livrer la bataille. Les journaux ennemis dirent qu'à présent le *vrai public* allait pouvoir enfin pénétrer dans la salle et venger l'art outragé.

Ce fut dès lors en effet la lutte sérieuse. Chaque représentation devint un vacarme effroyable. Les loges ricanaient, les stalles sifflaient; il fut de mode dans les salons d'aller « rire à *Hernani* ». Chacun protestait à sa façon et selon son caractère. Les uns, ne pouvant regarder une pareille pièce, tournaient le dos à la scène; d'autres, ne pouvant l'entendre, disaient : je n'y tiens plus! et sortaient au milieu d'un acte en jetant la porte de leur loge avec violence; les natures paisibles se contentaient de constater le manque d'intérêt de « ce drame » en étalant et en lisant leur journal. Mais les vrais partisans du bon goût ne s'en allaient pas, ne lisaient pas et ne tournaient pas le dos, ils avaient les yeux et les oreilles sur la pièce, visaient chaque mot, huant, sifflant, empêchant d'entendre, déconcertant les acteurs. Les cent, perdus dans le nombre, ne pliaient pas; leurs vingt ans et leur conviction faisaient rage dans cet ouragan. Ils tenaient tête à cette multitude, défendaient les scènes vers à vers, ne lâchaient pas un hémistiche; ils trépignaient, ils rugissaient, ils insultaient les siffleurs. M. Ernest de Saxe-Cobourg ne connaissait plus ni âge ni sexe. Une jeune femme riant aux éclats pendant la scène des portraits :

« Madame, lui dit-il, vous avez tort de rire, vous montrez vos dents! »

Des vieillards, à têtes vénérables et chauves, sifflaient à l'orchestre. Il cria :

« À la guillotine, les genoux[5]! »

L'auteur disputé ne trouvait plus dans les coulisses les respectueuses salutations prodiguées le premier soir à l'auteur triomphant. Le chef-d'œuvre était redevenu un « drame », un bâtard de la comédie et de la tragédie, on ne savait quoi. Les acteurs passaient à l'ennemi; un des principaux faisait aux siffleurs des clins d'yeux qui voulaient dire : vous avez raison; je suis forcé de jouer ça, mais ça n'est pas de moi. M. Joanny lui-même se démonta. Mlle Mars seule fut brave jusqu'au bout. Elle

---

5. Théophile Gautier attribue le mot au sculpteur Préault.

n'était pas plus épargnée que les autres, et le novateur lui procura cette nouveauté d'être sifflée ; elle le lui reprochait avec amertume et ne lui faisait plus aucun éloge de sa pièce ; mais elle était aussi ferme en scène que désagréable dans sa loge. Elle taquinait l'auteur en tête à tête, mais devant le public elle le représentait.

3.4. LASSITUDE ET RECETTES

On pourra apprécier, d'après les précisions données dans la note 6, l'importance des recettes d'*Hernani.*
Collin d'Harleville (1755-1806) et Andrieux (1759-1833) sont des auteurs de comédies ; du premier, on peut citer *le Vieux Célibataire* et du second *le Vieux Fat, la Comédienne.*

> Ce qui maintenait le drame malgré la véhémence des ennemis et le découragement des acteurs, c'était le chiffre des recettes. On venait siffler, mais on venait. La haine allait jusqu'à nier les recettes, même dans le théâtre. Un comédien qui jouait un petit rôle, auteur dramatique lui-même, dans le goût de Collin d'Harleville et d'Andrieux, répondait un soir à l'objection d'un interlocuteur qui lui demandait pourquoi, si la pièce était si mauvaise, elle attirait tant de monde.
> Il expliquait qu'elle n'attirait personne, que toutes les places étaient données, que la salle était pleine, mais que la caisse était vide.
> « Tenez, disait-il, ce soir il y a salle comble ; eh bien je parie que la recette...
> — Est de quatre mille cinq cent cinquante-sept francs soixante-dix-huit centimes », dit M. Victor Hugo qui passait dans ce moment et qui avait à la main le bordereau du caissier[6].
> L'attaque avait ses caprices. Elle s'en prenait aujourd'hui à un endroit, demain à un autre. Une scène criblée la veille s'étonnait d'être laissée tranquille ; en revanche, une scène qui se croyait désormais hors d'atteinte était hachée d'interruptions. Dans un entracte de la trentième représentation, l'auteur et Mlle Mars, gracieuse par exception ce jour-là, s'amusèrent à chercher les vers qui n'avaient pas été sifflés, ils n'en trouvèrent pas.
> « Il y a tout mon rôle », dit Mlle Thénard qui était présente. Elle avait un vers et un quart à dire dans le cinquième acte :
>
> Mon cher comte,
> Vous savez, avec vous, que mon mari les compte.

6. En réalité, la plus forte recette fut celle de la première : 5 134,20 F (le prix des places s'échelonnait entre 1,80 F et 6,60 F); la recette la plus faible fut celle du 11 août : 1 007,70 F.

« Votre vers n'a pas été sifflé ? dit l'auteur. Eh bien, il le sera. » Il le fut le soir.

3.5. PERSÉVÉRANCE DE LA JEUNESSE

Les deux missives citées par le « témoin » dans les lignes suivantes ne sont pas d'une authenticité indiscutable. Elles donnent cependant, semble-t-il, une idée assez juste de l'enthousiasme des uns et de l'indignation des autres.

La lutte fatiguait de plus en plus les acteurs, et ils en étaient à souhaiter que les recettes tombassent pour avoir le droit d'arrêter les représentations. Quelques-uns espéraient qu'on n'aurait pas besoin d'attendre jusque-là, que les jeunes gens, las de combattre, renonceraient, et que l'hostilité, maîtresse du terrain, ferait tomber le rideau avant le dénouement. On s'y attendait chez l'auteur ; la première question de Mme Hugo à son mari, quand il rentrait du théâtre, était : — Est-on allé jusqu'à la fin ? — et cette vie d'inquiétudes et d'émotions violentes finissait par être si pénible qu'elle-même eût presque désiré qu'il répondît : — Non.

Mais les jeunes gens, eux, ne voulaient pas de cela. Leur dévouement ne diminuait pas ; on se disputait les cent billets. La lettre suivante donnera une idée de la vivacité et de l'entrain de la défense :

« Quatre de mes janissaires m'offrent leurs bras, je les dépose à vos pieds, et vous demande pour eux quatre places pour ce soir, s'il n'est pas trop tard, ou pour mercredi, s'il n'y a plus de billets disponibles.

« Je vous garantis mes hommes. Ils sont gens à couper les têtes pour avoir les perruques. Quant à moi, je les encourage à persister dans ces nobles sentiments et ne les laisse pas partir sans leur donner ma bénédiction paternelle.

« Ils s'agenouillent, j'étends les mains et je leur dis : — « A moi, gens de bien, et que Dieu vous soit en aide ! La cause est bonne, faites votre devoir. » Ils se relèvent et j'ai toujours soin d'ajouter : « Ah çà, mes enfants, soignons Victor Hugo, car Dieu est bon garçon, mais il a tant d'occupations que notre ami doit compter sur nous avant tout. Allez, soyez dignes de ceux que vous servez. *Amen.*

« Votre dévoué de cœur et d'âme,

CHARLET »

« Lundi soir. »

M. Victor Hugo recevait des lettres d'un autre style ; une finissait par cette phrase : « Si tu ne retires pas ta sale pièce dans les vingt-quatre heures, nous te ferons passer le goût du pain. » Deux jeunes gens, qui se trouvaient là quand il reçut cette lettre, la prirent au sérieux. Il n'y eut pas moyen de les empêcher d'attendre, après toutes les représentations, M. Victor Hugo à la porte du théâtre et de le reconduire rue Notre-Dame-des-Champs, ce qui n'était pas un petit dérangement, car ils demeuraient boulevard Montmartre. Ils firent cela jusqu'à la dernière représentation.

3.6. ÉLARGISSEMENT DU CHAMP DE BATAILLE

Pour comprendre l'épilogue du récit, il faut se rappeler que l'adresse des 221 à Charles X, qui tire son nom de la majorité de 221 membres qui la vota, amena la dissolution de la Chambre et, par suite, la révolution de juillet 1830.

Le Courrier français, fondé en 1820, était un quotidien libéral.

> En même temps que la littérature, la politique s'agitait. *Hernani* partageait l'attention publique avec l'adresse des 221. Un rédacteur du *Courrier français,* ami de M. Victor Hugo malgré son journal, lui dit :
>
> « Il y a en France deux hommes bien détestés, M. de Polignac et vous. »
>
> La querelle s'étendit dans les départements. A Toulouse, un jeune homme nommé Batlam eut un duel pour *Hernani,* et fut tué. A Vannes, un caporal de dragons mourut, laissant ce testament : « Je désire qu'on mette sur ma tombe : *Ci-gît qui crut à Victor Hugo.* »
>
> Un congé de Mlle Mars interrompit la pièce à sa quarante-cinquième représentation[7].
>
> A une des reprises qui eut lieu huit ans après et où il n'y eut que des applaudissements, deux spectateurs discutaient, en descendant l'escalier, après la pièce :
>
> « Ce n'est pas étonnant qu'on ne siffle plus, disait l'un, qui avait sans doute été des siffleurs des premières représentations, il a changé tous les vers.
>
> — Vous vous trompez, répondit l'autre. Ce n'est pas son drame qu'il a changé, c'est le public. »

4. LES RÉPÉTITIONS : HUGO ET Mlle MARS

Sous ce titre, nous donnons le récit plein de vie qu'Alexandre Dumas a laissé, dans ses *Mémoires,* des répétitions du drame. Publiés en 1852, ces *Mémoires* sont aussi divertissants qu'authentiques. Les sous-titres sont de Dumas ; ils figuraient au début du chapitre, nous les avons insérés dans le texte avec quelques commentaires.

---

7. Il n'y en eut en réalité que 36. Pendant le congé de Mlle Mars (du 24 avril au 24 mai), les représentations furent interrompues, elles reprirent ensuite.

4.1. L'INVASION DES BARBARES

Après quelques notations sur Hugo lecteur, Dumas nous renseigne sur les acteurs et la distribution. (La duchesse de Guise, rôle dans lequel triompha Mlle Mars, est, bien entendu, un personnage d'*Henri III et sa cour*.)

> Mademoiselle Mars jouait doña Sol; Joanny, Ruy Gomez; Michelot, Charles Quint, et Firmin, Hernani.
> J'ai dit que notre littérature n'était pas sympathique à mademoiselle Mars; mais je dois ajouter ou plutôt répéter une chose, c'est que, comme mademoiselle Mars, au théâtre, était le plus honnête homme du monde, une fois la première représentation engagée, une fois que le feu des applaudissements ou des sifflets avait salué le drapeau — fût-il étranger — sous lequel elle combattait, elle se serait fait tuer plutôt que de reculer d'un pas; elle aurait subi le martyre plutôt que de renier, nous ne dirons pas sa foi — notre école n'était pas sa foi — mais son serment.

4.2. RÉPÉTITIONS D'*HERNANI*

On pourra se reporter au chapitre de *Mes Mémoires* où figure le récit des répétitions d'*Henri III* pour confirmer le portrait psychologique de Mlle Mars.

> Seulement, pour en arriver là, il fallait passer par cinquante ou soixante répétitions, et ce qu'il y avait, pendant ces cinquante ou soixante répétitions, d'observations hasardées, de grimaces faites, de coups d'épingle donnés à l'auteur, c'était incalculable.
> Il va sans dire que ces coups d'épingle pour le corps étaient bien souvent des coups de poignard pour le cœur.
> J'ai raconté ce que j'avais souffert avec mademoiselle Mars pendant les répétitions d'*Henri III;* les discussions, les querelles, les disputes même que j'avais avec elle; les emportements auxquels, malgré mon obscurité, je n'avais pu, au risque de ce qui en adviendrait, m'empêcher de me laisser aller.
> La même chose devait arriver et arriva à Hugo.
> Mais Hugo et moi avons deux caractères absolument opposés; lui est froid, calme, poli, sévère, plein de mémoire du bien et du mal; moi, je suis en dehors, vif, débordant, railleur, oublieux du mal, quelquefois du bien.
> Il en résultait, entre mademoiselle Mars et Hugo, des dialogues tout à fait différents des miens.
> Notez qu'au théâtre, en général, le dialogue entre l'acteur et l'auteur a lieu par-dessus la rampe, c'est-à-dire de l'avant-scène à l'orchestre; de sorte que pas un mot n'en est perdu pour les trente ou quarante artistes, musiciens, régisseurs,

comparses, garçons de théâtre, allumeurs et pompiers assistant à la répétition.
Cet auditoire, comme on le comprend, toujours disposé à bien accueillir les épisodes destinés à le distraire de l'ennui du fait principal, la répétition, ne contribue pas peu à agacer les nerfs des interlocuteurs, et, par conséquent, à infiltrer une certaine aigreur dans les relations téléphoniques qui s'établissent de l'orchestre au théâtre.

4.3. Mlle MARS ET L'HÉMISTICHE DU *LION*

On appréciera comment Dumas, par l'art du dialogue, parvient à donner beaucoup de saveur à un simple incident. Mais, au-delà de l'anecdote, il faut voir dans ces pages un document intéressant sur le goût classique de Mlle Mars et d'une grande partie du public.

Les choses se passaient à peu près ainsi :

Au milieu de la répétition, mademoiselle Mars s'arrêtait tout à coup.
« Pardon, mon ami, disait-elle à Firmin, à Michelot ou à Joanny, j'ai un mot à dire à l'auteur. »
L'acteur auquel elle s'adressait faisait un signe d'assentiment, et demeurait muet et immobile à sa place.
Mademoiselle Mars s'avançait jusque sur la rampe, mettait la main sur ses yeux, et quoiqu'elle sût très bien à quel endroit de l'orchestre se trouvait l'auteur, elle faisait semblant de le chercher.
C'était sa petite mise en scène, à elle.
« Monsieur Hugo? demandait-elle; M. Hugo est-il là?
— Me voici, madame, répondait Hugo en se levant.
— Ah! très bien! merci... Dites-moi, monsieur Hugo...
— Madame?
— J'ai à dire ce vers-là :

Vous êtes mon lion superbe et généreux!

— Oui, madame, Hernani vous dit :

Hélas! j'aime pourtant d'une amour bien profonde!...
Ne pleure pas! mourons plutôt! Que n'ai-je un monde?
Je te le donnerais! Je suis bien malheureux!

et vous lui répondez :

Vous êtes mon lion superbe et généreux!

— Est-ce que vous aimez cela, monsieur Hugo?
— Quoi?
— Vous êtes mon *lion!...*
— Je l'ai écrit ainsi, madame; donc, j'ai cru que c'était bien.
— Alors vous y tenez, à votre *lion?*

— J'y tiens et je n'y tiens pas, madame; trouvez-moi quelque chose de mieux, et je mettrai cette autre chose à la place.

— Ce n'est pas à moi à trouver cela : je ne suis pas l'auteur, moi.

— Eh bien, alors, madame, puisqu'il en est ainsi, laissons tout uniment ce qui est écrit.

— C'est qu'en vérité, cela me semble si drôle d'appeler M. Firmin *mon lion!*

— Ah! parce qu'en jouant le rôle de doña Sol, vous voulez rester mademoiselle Mars; si vous étiez vraiment la pupille de Ruy Gomez de Silva, c'est-à-dire une noble castillane du XVIe siècle, vous ne verriez pas dans Hernani M. Firmin; vous y verriez un de ces terribles chefs de bande qui faisaient trembler Charles Quint jusque dans sa capitale; alors, vous comprendriez qu'une telle femme peut appeler un tel homme son *lion,* et cela vous semblerait moins drôle!

— C'est bien! puisque vous tenez à votre *lion,* n'en parlons plus. Je suis ici pour dire ce qui est écrit; il y a dans le manuscrit : « Mon lion! » je dirai : « Mon lion! » moi... Mon Dieu! cela m'est bien égal! — Allons, Firmin!

Vous êtes mon lion superbe et généreux! »

Et la répétition continuait.

Seulement, le lendemain, arrivée au même endroit, mademoiselle Mars s'arrêtait comme la veille; comme la veille, elle s'avançait sur la rampe; comme la veille elle mettait la main sur ses yeux; comme la veille, elle faisait semblant de chercher l'auteur.

« Monsieur Hugo? disait-elle de sa voix sèche, de sa voix, à elle; de la voix de mademoiselle Mars, et non pas de Célimène. M. Hugo est-il là?

— Me voici, madame, répondait Hugo avec sa même placidité.

— Ah! tant mieux! je suis bien aise que vous soyez là.

— Madame, j'avais eu l'honneur de vous présenter mes hommages avant la répétition.

— C'est vrai... Eh bien, avez-vous réfléchi?

— A quoi, madame?

— A ce que je vous ai dit hier.

— Hier, vous m'avez fait l'honneur de me dire beaucoup de choses.

— Oui, vous avez raison... Mais je veux parler de ce fameux hémistiche.

— Lequel?

— Eh! mon Dieu, vous savez bien lequel!

— Je vous jure que non, madame; vous me faites tant de bonnes et justes observations, que je confonds les unes avec les autres.
— Je parle de l'hémistiche du *lion*...
— Ah! oui : *Vous êtes mon lion!* Je me rappelle...
— Eh bien, avez-vous trouvé un autre hémistiche?
— Je vous avoue que je n'en ai pas cherché.
— Vous ne trouvez donc pas cet hémistiche dangereux?
— Qu'appelez-vous dangereux?
— J'appelle dangereux ce qui peut être sifflé.
— Je n'ai jamais eu la prétention de ne pas être sifflé.
— Soit; mais il faut être sifflé le moins possible.
— Vous croyez donc qu'on sifflera l'hémistiche du *lion?*
— J'en suis sûre!
— Alors, madame, c'est que vous ne le direz pas avec votre talent habituel.
— Je le dirai de mon mieux... Cependant, je préférerais...
— Quoi?
— Dire autre chose.
— Quoi?
— Autre chose, enfin!
— Quoi?
— Dire — et mademoiselle Mars avait l'air de chercher le mot, que, depuis trois jours, elle mâchait entre ses dents —, dire, par exemple.. heu... heu... heu...

Vous êtes, *monseigneur,* superbe et généreux!

Est-ce que *monseigneur* ne fait pas le vers comme mon *lion?*
— Si fait, madame; seulement, *mon lion* relève le vers, et *monseigneur* l'aplatit. J'aime mieux être sifflé pour un bon vers qu'applaudi pour un méchant.
— C'est bien, c'est bien!... ne nous fâchons pas... On dira votre *bon vers* sans y rien changer! — Allons, Firmin, mon ami, continuons...

Vous êtes mon lion superbe et généreux!

Il est bien entendu que, le jour de la première représentation, mademoiselle Mars, au lieu de dire : « Vous êtes mon lion! » dit : « Vous êtes, monseigneur! »
Le vers ne fut ni applaudi ni sifflé; il n'en valait plus la peine.

4.4. HUGO REDEMANDE LE RÔLE DE DOÑA SOL À Mlle MARS

Dumas nous fait assister maintenant à une véritable scène de théâtre dans le théâtre même, qui oppose l'actrice à l'auteur.

Mais, chaque jour, il y avait quelque interruption dans le genre de celles que nous venons de signaler; cela agaçait fort Hugo, qui, encore à son début dramatique, avait cru que le plus difficile était de créer la pièce, et le plus ennuyeux, de la faire, et qui s'apercevait que tout cela était ineffable jouissance comparé aux répétitions.

Enfin, un jour, la patience lui manqua.

La répétition finie, il monta sur le théâtre, et, s'approchant de mademoiselle Mars :

« Madame, dit-il, je voudrais bien avoir l'honneur de vous dire deux mots.

— A moi? répondit mademoiselle Mars, étonnée de la solennité du début.

— A vous.

— Et où cela?

— Où vous voudrez.

— Venez, alors. »

Et mademoiselle Mars, marchant la première, conduisit Hugo dans ce qu'on appelait alors le petit foyer, situé, à ce que je crois, à l'endroit où est aujourd'hui le salon de la loge du directeur.

Louise Despréaux y était assise seule dans un coin.

Louise Despréaux, comme nous l'avons dit, était une des antipathies de mademoiselle Mars, qui protégeait madame Menjaud. J'ai raconté en son lieu la scène que j'avais eue avec mademoiselle Mars, à propos de Louise Despréaux, lors de la distribution du rôle du page de la duchesse de Guise.

En voyant entrer mademoiselle Mars et Hugo, elle se leva et sortit discrètement, — il est vrai que je soupçonne fort la curieuse de dix-sept ans d'avoir collé, du côté de l'oreille, son visage blond et rose à la porte.

Mademoiselle Mars s'arrêta, posant sur la cheminée la main dont elle tenait son rôle.

« Eh bien, demanda-t-elle, que vouliez-vous me dire?

— Je voulais vous dire, madame, que je viens de prendre une résolution.

— Quelle résolution, monsieur?

— Celle de vous redemander votre rôle.

— Mon rôle... lequel!...

— Celui que vous m'aviez fait l'honneur de réclamer dans mon drame.

— Comment, le rôle de doña Sol, s'écria mademoiselle Mars tout étourdie, ce rôle-là? »

Et elle montrait le rouleau de papier qu'elle tenait à la main, fronçant son sourcil noir sur un œil qui prenait, à certains moments, une incroyable expression de dureté.

Hugo s'inclina.

« Oui, dit-il, le rôle de doña Sol, celui que vous tenez à la main.

— Ah! par exemple, dit mademoiselle Mars en frappant le marbre de la cheminée avec le rôle, et le parquet avec son pied, voilà la première fois que cela m'arrive, qu'un auteur me redemande son rôle!

— Eh bien, madame, je crois qu'il est bon que l'exemple soit donné, et je le donne.

— Mais, enfin, pourquoi me le reprenez-vous?

— Parce que je crois m'apercevoir d'une chose, madame : c'est que, quand vous me faites l'honneur de m'adresser la parole, vous paraissez ignorer complètement à qui vous parlez.

— Comment cela, monsieur?

— Oui, vous êtes une femme d'un grand talent, je sais cela... mais il y a une chose dont, je le répète, vous semblez ne pas vous douter, et que, dans ce cas, je dois vous apprendre : c'est que, moi aussi, madame, je suis un homme d'un grand talent : tenez-vous-le donc pour dit, je vous prie, et traitez-moi en conséquence.

— Vous croyez donc que je le jouerai mal, votre rôle?

— Je sais que vous le jouerez admirablement bien, madame; mais je sais aussi que, depuis le commencement des répétitions, vous êtes fort impolie envers moi; ce qui est indigne, à la fois, et de mademoiselle Mars et de M. Victor Hugo.

— Oh! murmura mademoiselle Mars en mordant ses lèvres pâles, vous mériteriez bien que je vous le rendisse, votre rôle! »

Hugo tendit la main.

« Je suis prêt à le recevoir, madame, dit-il.

— Et, si je ne le joue pas, qui le jouera?

— Oh! mon Dieu! madame, la première personne venue... Tenez, par exemple, mademoiselle Despréaux. Elle n'aura pas votre talent, sans doute; mais elle est jeune, elle est jolie; sur trois conditions que le rôle exige, elle en réunit deux; puis, en outre, elle aura pour moi ce que je vous reproche, à vous, de ne pas avoir, c'est-à-dire la considération que je mérite. »

Et Hugo restait le bras tendu et la main ouverte, attendant que mademoiselle Mars lui rendit le rôle.

« Mademoiselle Despréaux! mademoiselle Despréaux! murmura mademoiselle Mars, ah! par exemple! la plaisanterie est bonne!... Vous lui faites votre cour, à ce qu'il paraît, à mademoiselle Despréaux?

— Moi? Je ne lui ai jamais parlé de ma vie!

— De sorte que vous me redemandez positivement, officiellement, votre rôle?

— Officiellement, positivement, je vous redemande mon rôle.

— Eh bien, moi, je le garde, votre rôle. Je le jouerai, et comme personne ne vous le jouerait à Paris, je vous en réponds!

— Soit, gardez le rôle, mais n'oubliez pas ce que je vous ai dit à l'endroit des égards que se doivent entre eux des gens de notre mérite. »

Et Hugo salua mademoiselle Mars, la laissant tout ébouriffée de cette haute dignité à laquelle ne l'avaient point habituée les auteurs de l'Empire, à genoux devant son talent, et surtout arrêtés par cette certitude que leurs pièces ne feraient pas un sou sans elle.

A partir de ce jour, mademoiselle Mars fut froide mais polie envers Hugo, et, comme elle l'avait promis, le soir de la première représentation venu, elle joua admirablement le rôle.

JUGEMENTS SUR « HERNANI »

AU LENDEMAIN DE LA « BATAILLE »

POUR

Je craignais quelque peu pour le premier acte, et maintenant, une fois la toile baissée sur lui, au milieu des bravos, mon violent serrement de cœur se détendit, et je me dis : « Nous avons gagné. » Le second acte, j'en étais sûr. Il ronfle comme un tuyau d'orgue. Au troisième acte, opposition de rigueur, et un sifflet à la plus belle scène, mais englouti à cent pieds dans la mer, sous des algues de bravos conjurés. Mon front ruisselait de sueur et mes vêtements étaient trempés comme ceux d'un naufragé. Le quatrième acte n'était pas une scène de ce monde; c'était plutôt une scène d'ombres jouée sur des tombeaux. Le monologue de Charles Quint atterra toute la salle. Ce n'étaient plus des acclamations, c'était un brasier de *oh!* comprimés et sourds. Ce quatrième acte est la réverbération la plus puissante du génie de Hugo. Un tonnerre d'applaudissements l'accueillit au baissé du rideau. Il n'y avait que l'entraînement de la passion qui pût produire quelque chose après le grandiose concentré du quatrième acte, et, de toute manière, cet effet dépassa l'attente. Le son du cor fut un navrement universel pour les quatre points de la salle; et quand doña Sol fut retombée sur le corps d'Hernani, son fiancé, que la toile fut tombée pour toujours avec eux, un seul cri d'enthousiasme effréné partit de l'enceinte, jusqu'à ce que Firmin eût amené l'auteur de ce monumental et décisif chef-d'œuvre. Tout le monde se leva et personne ne sortit. Jamais de notre vie de jeunes hommes, succès pareil n'avait eu lieu.

Victor Pavie,
Lettre à son père du 26 février 1830,
publiée par André Pavie dans *Médaillons romantiques* (1900).

J'ai vu, Monsieur, la première représentation d'*Hernani*. Vous connaissez mon admiration pour vous, ma vanité s'attache à votre lyre, vous savez pourquoi. Je m'en vais, Monsieur, et vous venez. Je me recommande au souvenir de votre muse. Une pieuse gloire doit prier pour les morts.

Chateaubriand,
Lettre à Victor Hugo (28 février 1830).

Pour la génération de 1830, *Hernani* a été ce que fut *le Cid* pour les contemporains de Corneille. Tout ce qui était jeune, vaillant, amoureux, poétique, en reçut le souffle. Ces belles exagérations héroïques et castillanes, cette superbe emphase espagnole, ce langage si fier et si hautain dans sa familiarité, ces images d'une étrangeté éblouissante, nous jetaient comme en extase et nous enivraient de leur poésie capiteuse. Le charme dure encore pour ceux qui furent alors captivés.

Théophile Gautier,
Moniteur (25 juin 1867, à propos de la reprise).

CONTRE

Ce chef-d'œuvre de l'absurde, rêve d'un cerveau délirant, a obtenu un succès de frénésie; on aurait dit que tous les fous, échappés de leur loge, s'étaient rassemblés au Théâtre-Français.

Critique anonyme du *Drapeau blanc.*

Si, dans le temps où le goût régnait, on eût présenté au parterre ce tissu d'invraisemblances, de niaiseries, d'absurdités, tous les sifflets de Paris auraient fait un beau tapage. Mais aujourd'hui c'est autre chose. Racine et Voltaire sont bafoués, et voilà ce qu'une faction littéraire prétend substituer à *Athalie* et à *Mérope.* Voilà ce qu'on nous prônait depuis un an, voilà ce qu'on a applaudi à tout rompre. Les gens de l'ancien régime poétique ont eu beau protester par des murmures, des sifflets, des exclamations, la cabale était en force et l'auteur a été proclamé.

Ce n'était rien que le sujet! C'est le style et les vers qu'il fallait entendre! Victor Hugo ne dit rien comme un autre. Il lui passe quelquefois de grandes pensées : mais il les rend, à dessein, d'une manière si ridicule que le rire étouffe immédiatement l'admiration. Dès que le sublime se montre, la trivialité de l'expression le fait disparaître. Je ne veux rien citer. L'imprimerie assure la perpétuité de cette immense rhapsodie, mais la postérité française sera bien étonnée qu'on ait fait dire tant de pauvretés à notre belle langue et qu'une de nos générations ait pris cela pour un chef-d'œuvre.

Jean Viennet,
Mémoires (26 février 1830).

Une fable grossière, digne des siècles les plus barbares; un tissu de crimes froidement déroulés, sans combinaisons, sans art, sans moralité.

Critique anonyme de *la Gazette de France.*

Un horrible choix des mœurs, le dénigrement des caractères les plus inviolables, et un intolérable système du style destructif de toute poésie... Faites plutôt des odes!

Charles Maurice.

POUR ET CONTRE

Oui, je crois que, comme Napoléon, vous tentez une entreprise impossible, en ce sens que toute l'Europe était en lui et que tout l'art dramatique sera en vous. Vous aurez Austerlitz, Iéna. Peut-être même qu'*Hernani* est déjà Austerlitz; mais quand vous serez à bout, l'art retombera; votre héritage sera vacant, et vous n'aurez été qu'un grand et sublime épisode qui aura surtout étonné les contemporains. Napoléon devait venir du temps de Mahomet; vous deviez venir au temps de Dante. Entre des facultés aussi gigantesques et un temps comme le nôtre, il n'y a pas d'harmonie.

Sainte-Beuve.
Lettre à Victor Hugo (février 1830).

APRÈS LA MORT DE L'AUTEUR

Il y a quelque chose de moins vivant que la tragédie ancienne, ce sont les drames de Victor Hugo. On ne peut trop en admirer le style, la poésie, la splendeur pittoresque : mais aussi on ne dira jamais assez combien superficiel et artificiel est un système où le drame consiste dans un choc violent d'antithèses monstrueuses; où le mouvement et la richesse du spectacle cachent aux yeux la pauvreté d'action intérieure et morale; où la rhétorique a la parole comme elle ne l'avait jamais eue au XVIIe siècle, et où des monologues interminables et invraisemblables nous font regretter les confidents. Ni Hernani, ni don Carlos, ni doña Sol, ni Ruy Blas ne sont des personnages vivants. Lorsqu'une figure a du relief, comme don César de Bazan ou Triboulet, c'est le genre de relief des bonshommes de Callot.

Paul Stapfer,
Racine et Victor Hugo (1887, p. 138).

Homme de sentiment et de pensée trop faible pour faire vivre puissamment, d'une vie complète, un Claude Frollo, un Marius, un Didier, un Hernani, il l'est assez pour prêter une vie extraordinaire à une cathédrale, à une cour des miracles, à un quartier, à une ville, à un champ de bataille.

Le personnage principal de ses drames, c'est la couleur locale.

Émile Faguet,
Études littéraires sur le XIXe siècle (1887, p. 202).

La perpétuelle intervention de la personnalité de Hugo dans ses drames ne peut que nuire au développement de celle de ses personnages [...] Dans son *Ruy Blas* ou dans son *Hernani*, c'est Hugo qui parle, « lui toujours, lui partout »; qui s'éprend non seulement de ses propres idées, mais de ses métaphores, qui s'y complaît, qui les redouble, qui les amplifie comme il ferait dans une ode; qui, sans égard à la situation, va toujours jusqu'au bout de ce que lui suggère la fécondité de son invention verbale.

Ferdinand Brunetière,
les Époques du théâtre français (1892, p. 357).

Le poème est d'un métal pur et brillant. Si ce n'est pas absolument une tragédie, c'est une de nos meilleures tragi-comédies. Cela ne vaut pas *le Cid;* c'est beaucoup plus romanesque et beaucoup moins émouvant. Du reste, Hugo n'était pas un dramaturge né et il ne connaissait que les grandes lignes de cet art, dont il avait plus étudié les dehors que les moyens profonds. Il ne savait pas poser une scène, surtout si c'était une scène d'amour. Aussi ses dialogues amoureux ne sont-ils que des monologues, artificiellement coupés par de vagues répliques. *Hernani* est de l'épopée romanesque disposée en drame ou plutôt c'est du roman épique.

Alfred Poizat,
les Maîtres du théâtre (1921, p. 180).

Cette histoire est tout bonnement extravagante. Personne n'y accomplit une action ayant le sens commun, depuis cette fille qui reçoit des bandits dans sa chambre, jusqu'à ce marié qui se tue le soir de ses noces à la première réquisition d'un rival jaloux. En vérité, on ne pourrait que rire de ces enfantillages, s'ils n'étaient drapés dans un lyrisme ébouriffant.

Lucien Dubech,
Candide (18 août 1927).

LE CENTENAIRE : 1930

L'anniversaire d'*Hernani* nous vaudra-t-il une nouvelle révision des valeurs romantiques ? On peut cependant penser que la cause, tant de fois remise en question, est aujourd'hui entendue. En dehors de son style prodigieux, *Hernani* est un mélodrame farouche, ou mieux, un vaudeville funèbre : dès que l'un des partenaires tragiques arrive quelque part, tous les autres s'y trouvent mystérieusement réunis, comme des couples dans un hôtel meublé. Ces inexplicables coïncidences forment, au fond, la trame même de la pièce, mais, là-dessus, quel éblouissant manteau de mots! Il ne faut chercher dans *Hernani* ni vérité psychologique, ni étude de caractère; chacun s'y efforce de rivaliser en générosité avec autrui et de l'éblouir par sa grandeur d'âme; ce sont des fanfarons du sublime [...] La beauté d'*Hernani* vient de sa jeunesse; c'est la beauté du diable. Quelle frénésie de vivre! Quel enthousiasme, et, pourrait-on presque dire, quelle confiance dans le malheur! Comme

SUJETS DE DEVOIRS ET D'EXPOSÉS

NARRATION

● Le 30 septembre 1829, Victor Hugo, après avoir composé *Hernani* en vingt-sept jours, réunit, rue Notre-Dame-des-Champs, les habitués du premier cénacle, pour leur lire son nouveau drame. Vous décrirez la scène en vous attachant particulièrement à faire voir et entendre les réactions des auditeurs. Ne négligez pas, dans l'enthousiasme général, quelques prudentes réserves amicales sur telle ou telle hardiesse du poète révolutionnaire.

LETTRE

● Un jeune étudiant de 1830 a pu avoir un billet pour assister, au milieu des romantiques, à la première représentation d'*Hernani*. Il écrit à un camarade de province pour lui décrire ses émotions et son enthousiasme. Faites cette lettre.

DIALOGUE

● Deux jeunes étudiants viennent d'assister à la première représentation d'*Hernani*.

L'un est partisan des classiques, l'autre de l'école nouvelle. Imaginez et composez leur dialogue.

DISSERTATIONS

● Faites une étude détaillée des décors, des éclairages, des costumes, de la figuration en général; par l'examen de quelques scènes caractéristiques, représentez-vous les mouvements et les gestes des personnages; concluez en dégageant les principes d'une esthétique théâtrale nouvelle; rapprochez de certains types de films contemporains.

● Étudiez l'action dans *Hernani*, son mécanisme, et montrez que Hugo, bien loin de chercher la vraisemblance, a voulu satisfaire au besoin d'émotions violentes de ses contemporains, par la recherche constante du coup de théâtre et du pathétique.

● Les affinités de Hugo avec le baroque.

● Pour montrer les différences que présentent la tragédie classique et le drame romantique, comparez *Hernani* à *Cinna*.

● Plus d'un siècle après *Hernani*, qu'est-ce qui vous paraît suranné, qu'est-ce qui vous paraît toujours jeune dans les drames de Victor Hugo?

● Expliquez le jugement suivant : « Le mérite principal d'*Hernani*, c'est la jeunesse. On y respire d'un bout à l'autre une odeur de sève printanière et de nouveau feuillage d'un charme inexprimable; toutes les qualités et tous les défauts en sont jeunes : passion idéale, amour chaste et profond, dévouement héroïque, fidélité au point d'honneur, effervescence lyrique, agrandissement des proportions naturelles, exagération de la force; c'est un des plus beaux rêves dramatiques que puisse accomplir un grand poète de vingt-cinq ans. » (Th. Gautier, *Histoire de l'art dramatique en France depuis vingt-cinq ans*, t. Ier, p. 97, 22 janvier 1838.)

● Expliquez et appréciez cette réflexion de Victor Hugo sur *Hernani* : « L'auteur prierait volontiers les personnes que cet ouvrage a pu choquer de relire *le Cid*, *Don Sanche*, *Nicomède*, ou plutôt tout Corneille et tout Molière, ces grands et admirables poètes. Cette lecture[...] les rendra peut-être moins sévères pour certaines choses qui ont pu les blesser dans la forme ou dans le fond de ce drame. » (*Hernani*, Préface.)

● Discutez ce réquisitoire de Georges Lote (*En préface à Hernani*, p. 123) : « Ses personnages sont seulement destinés à soutenir une intrigue touffue et compliquée, qui demeure d'un bout à l'autre de la pièce la préoccupation dominante de l'auteur. On ne peut voir en eux que des types romantiques, conçus et exécutés pour plaire à un public romantique, issus d'une mode transitoire, par conséquent artificiels, d'un intérêt temporaire, et que l'éternelle vérité ne connaît pas. »

● « Le poète d'*Hernani*, écrit Auguste Dorchain (*l'Art des vers*, p. 236), a bien été le grand réformateur de l'alexandrin qu'il a cru être; mais il ne l'a pas été tout à fait de la façon qu'il a cru. « J'ai disloqué ce grand niais d'alexandrin », proclame-t-il dans *les Contemplations (Réponse à un acte d'accusation)*. Non, il exagère. Il a continué d'assouplir l'alexandrin par un plus savant et plus fréquent usage des césures mobiles, mais, fort heureusement, il ne l'a point disloqué, il ne lui a fait perdre aucun de ses points d'appui rythmiques. »
Est-ce exact? Par une étude précise du texte, montrez en quoi Hugo a respecté, puis en quoi il a renouvelé la métrique traditionnelle.

● « Le romantisme, a dit V. Hugo dans la Préface d'*Hernani*, n'est, à tout prendre, que le *libéralisme* en littérature. » Que pensez-vous de cette définition? En quoi est-elle fondée? En quoi peut-elle sembler incomplète?

● Expliquez et discutez cette phrase de Paul de Saint-Victor : « Hernani, c'est le Cid à l'état sauvage. »

● Le drame historique selon Hugo et selon Musset : comparez *Hernani* à *Lorenzaccio.*

● La peinture de l'incohérence et de l'absurde dans le personnage d'Hernani : éléments extérieurs à sa personne, données de son caractère.

● Comparez Hernani et Ruy Blas : les traits communs, les différences entre leurs destinées et leurs caractères. Tirez de cette étude une définition du héros romantique selon Hugo.

● Quelle place occupe don Ruy Gomez dans la galerie des vieillards amoureux et jaloux, qui va du Mithridate de la tragédie de Racine au Claudio des *Caprices de Marianne ?*

TABLE DES MATIÈRES

IMPRIMERIE HÉRISSEY. — 27000 - ÉVREUX.
Mars 1971. — Dépôt légal 1971-1er. — N° 23157. — N° de série Éditeur 9223.
IMPRIMÉ EN FRANCE *(Printed in France)*. — 34 445 X-4-79.